Vol. 40, n° 3
2004

françaises

Sommaire

Le corps des mots. Lectures de Jean Tortel

numéro préparé par Marc André Brouillette

Notes de la directrice

La revue *Études françaises* n'est pas coutumière des célébrations, son mandat la vouant en premier lieu à la parole critique et à l'étude. Rien ne lui interdit cependant de faire coïncider celles-ci avec un anniversaire, surtout s'il s'agit de faire découvrir ou redécouvrir à ses lecteurs un écrivain que Jean-Luc Steinmetz présente si justement comme « l'une des grandes figures secrètes de la poésie de la fin du XXe siècle[1] ». Cette figure est celle de Jean Tortel, qui aurait cent ans aujourd'hui.

« On me dit que Jean Tortel est octogénaire, et je me demande si je ne me sens pas quelquefois plus vieux que lui[2] », écrivait en 1984 un Philippe Jaccottet perplexe, qui, après avoir parlé avec chaleur des premiers livres de son aîné, se montre plus réservé qu'admiratif face à l'œuvre de maturité et à sa conquête de « nouveaux territoires ». Il se peut que d'autres, éprouvant comme Jaccottet le besoin « non seulement d'espace, et de souffle, mais aussi de leurs multicolores, odorantes et multiformes émanations », aient été déroutés par l'apparente austérité d'un poète qui « s'était de plus en plus rapproché de lui-même en se dépouillant, en se risquant aussi [...] et quelquefois dans un espace abstrait, plutôt aride [...], se concentrant, avec une sorte de tranquille insouciance de toute facilité, d'oubli ou plutôt de refus du divers, du charme[3] ». Car si son refus de la luxuriance surréaliste et son attachement au monde

1. Jean-Luc Steinmetz, « Jean Tortel », dans Michel Jarrety (dir.), *Dictionnaire de poésie de Baudelaire à nos jours*, Paris, PUF, 2001, p. 827.

2. Philippe Jaccottet, « Au seuil du grand âge », *Action poétique*, nos 96-97, été-automne 1984, p. 116.

3. *Ibid.*, p. 117.

concret le rapprochent de quelques poètes de sa génération (Ponge et Guillevic) et de la suivante (Bonnefoy, Jaccottet, du Bouchet), Tortel n'a jamais bénéficié de la même ferveur — du moins dans la critique — que tous ceux-là. Son intérêt obstiné pour certaines questions de langage a peut-être fait oublier la dimension charnelle de ses poèmes, qui pourtant ne cessent de parler des « corps » — ceux du dehors comme celui de l'écrivain. Son travail du vers, à la fois rigoureux et novateur, a pu voiler une émotion, une inquiétude certes discrète, mais perceptible néanmoins, et cela justement dans le vers, cette « découpe » qui, isolant des mots « grammaticaux », des marqueurs de relation (pronoms, auxiliaires, conjonctions, adverbes), révèle l'arbitraire des rapports par lesquels nous ordonnons et qualifions notre espace, met à nu l'instabilité de notre situation.

Tortel s'est pourtant gagné au fil des ans l'estime de nombreux poètes, issus d'horizons multiples, ce dont témoigne, entre autres, le numéro d'hommages que lui consacra la revue *Action poétique* en 1984, celui-là même où Jaccottet exprimait sa distance. Depuis, la critique a emboîté le pas aux poètes, et d'autres ouvrages sont parus sur cette œuvre stimulante. Mais ces travaux demeurent encore peu abondants, et il reste beaucoup à dire sur l'écriture de Tortel et son apport à la poésie de langue française.

* * *

La parution de ce dossier coïncide aussi, plus prosaïquement, avec quelques changements au sein du comité de rédaction. François Paré et Catherine Mavrikakis ont dû nous quitter, le premier ayant terminé son mandat, la seconde étant requise par d'autres tâches ; tous deux ont apporté une contribution inestimable à la revue, tant par leurs idées nouvelles que par leur sens critique, ce dont toute l'équipe les remercie. Pour les remplacer, deux nouveaux membres se sont joints au comité : Isabelle Daunais, de l'Université McGill et Jeanne Bovet, de l'Université de Montréal. Leur arrivée succède à celle d'Isaac Bazié, de l'Université du Québec à Montréal, qui est venu l'hiver dernier combler un poste vacant. Les compétences diversifiées de ces trois professeurs constitueront un apport précieux pour l'actuel comité.

Enfin, ce numéro constitue également la dernière réalisation, à titre de secrétaire à la rédaction, de Roxanne Roy, qui abandonne ses fonctions à *Études françaises* pour entreprendre des recherches postdoctorales à Paris. La qualité éditoriale de la revue, les diverses étapes de sa production et les contacts avec nos collaborateurs ont grandement bénéficié de son efficacité, de son attention et de sa fiabilité. Nous désirons lui témoigner ici notre gratitude pour le professionnalisme, la disponibilité et la gentillesse dont elle a fait preuve tout au long de son mandat, et lui souhaiter un grand succès dans les travaux qu'elle entreprend. Catherine Morency, qui poursuit actuellement des études de doctorat sur le xxe siècle au Département d'études françaises sous la direction de Catherine Mavrikakis, a pris le relais au début d'octobre 2004. C'est avec plaisir que nous l'accueillons parmi nous.

Lucie Bourassa

Le corps des mots.
Lectures de Jean Tortel

Présentation

MARC ANDRÉ BROUILLETTE

L'automne 2004 marque le centième anniversaire de naissance du poète français Jean Tortel. Auteur d'une œuvre poétique et critique trop peu connue, Tortel est encore considéré aujourd'hui comme un poète marginal en comparaison, par exemple, des Ponge et Guillevic, avec lesquels il a entretenu des relations d'amitié et des échanges littéraires. Son œuvre se compose d'une trentaine de recueils de poésie, de deux romans, de quelques ouvrages de prose sur le langage et l'écriture, ainsi que de plusieurs études sur des poètes (modernes et contemporains) et sur la littérature des XVIe et XVIIe siècles. Membre actif de la revue *Cahiers du Sud*, Tortel a contribué à diffuser la création de jeunes poètes et à commenter l'actualité éditoriale. Ses intérêts diversifiés manifestent un désir constant d'approfondir la question du langage poétique dans ses multiples facettes historiques, critiques et formelles.

Né à Saint-Saturnin-lès-Avignon (Vaucluse) en 1904 de parents instituteurs, Jean Tortel a vécu la presque totalité de sa vie dans cette région. Après avoir passé son baccalauréat en 1921 puis, l'année suivante, le concours de l'Enregistrement, il entre dans l'administration française. Il rencontre Jeanne-Marie Dupeuple, mieux connue sous le nom de Jeannette, et tous deux se marient en 1926. Cette même année, il fait la connaissance de Jean Royère, fondateur des revues *La phalange* et *Le manuscrit autographe*, qui lui donnera l'occasion de publier, en 1928, son premier poème. En 1931, il fait paraître chez Albert Messein un recueil de poésie, *Cheveux bleus*. Après avoir occupé un poste pendant quatre ans dans le nord-est de la France, Tortel est nommé en 1938 à Marseille où il rencontre Jean Ballard, l'un des membres fondateurs des *Cahiers du Sud*. De cette rencontre naît une longue collaboration — Tortel sera membre du comité de rédaction de cette revue de 1945 à 1966, année où elle cesse de paraître. En 1947, il publie un premier roman, *Le mur du ciel* (Robert Laffont). Il s'installe en 1964 aux *Jardins neufs*, résidence avignonnaise qui deviendra le lieu privilégié où il exerce son regard et se consacre à l'écriture. L'année suivante, il publie *Villes ouvertes* chez Gallimard, qui accueillera également *Relations* (1968), *Limites du regard* (1971), et *Instants qualifiés* (1973). Par la suite, ses travaux, de nature variée, paraîtront chez divers éditeurs. En 1979, il assiste au colloque « Clancier, Guillevic, Tortel » qui se déroule à Cerisy. Seghers lui consacre en 1984 un volume de sa collection « Poètes d'aujourd'hui », écrit par Raymond Jean. Le poète reçoit la même année le prix France-Culture pour son ouvrage *Feuilles, tombées d'un discours* (André Dimanche) puis, en 1986, le prix national de Poésie pour l'ensemble de son œuvre. Il est décédé le 1er mars 1993.

La démarche littéraire de Jean Tortel se fonde principalement sur trois champs d'investigation : l'espace, la perception et le vers. Depuis son premier recueil de poésie, Tortel n'a cessé d'observer, d'imaginer et de saisir les lieux qu'il habite et qui l'habitent — le jardin étant son lieu de prédilection. Quel que soit le genre qu'elle ait emprunté, son œuvre est motivée par le désir d'écrire ce qui se présente au regard et ce qui anime l'espace. Le regard, véritable ligne de conduite chez cet écrivain, est ce par quoi les choses se manifestent et s'introduisent dans l'univers du sujet. Il est constamment associé à l'écriture — pensons seulement à certains autres titres comme *Explications ou bien regard* (1960) et *Le discours des yeux* (1982) — qui se présente comme un voir doté de sens et pouvant être manipulé (« manié avec les mains »). L'écriture permet une incursion du sujet dans l'espace et confère aux choses « cette visibilité du langage qui est vraiment la seule évidence qui ne peut être mise en doute et sur laquelle [Tortel] fonde sa démarche originelle[1] ». Sollicité par l'apparaître des choses, le poète répond par la « visibilité du langage », le regard devenant ici un élément de transformation et de compréhension du monde. Sa poésie, que Gérard Arseguel envisage « comme un instrument de mesure[2] », tente de saisir avec retenue et précision les divers mouvements qui accompagnent et qui recomposent ce rapport sans cesse changeant.

1. Raymond Jean, *Jean Tortel*, Paris, Seghers, coll. « Poètes d'aujourd'hui », n° 247, 1984, p. 48.

2. Gérard Arseguel, *Le regard écrit. Poétiques de Jean Tortel*, Marseille, André Dimanche, coll. « Ryôan-ji », 1997, p. 21.

Lecteur attentif des auteurs du préclassicisme et du classicisme français (Malherbe, Marbeuf, Scève et Théophile notamment) dont il apprécie « l'intensité, la fixité du regard et la rigueur extrême du langage[3] », Tortel s'est beaucoup interrogé sur le vers qu'il compare régulièrement au corps. Vers et corps sont tous deux guidés par le désir de dire et de saisir, de toucher et de prendre. Le poète présente le vers comme une « insituable structure, dans une autre profondeur verbale, encore incertaine[4] ». Il devient un mode d'écriture exemplaire et fécond qui accorde au langage cette « visibilité » singulière[5]. Avec un souci constant de faire apparaître la pluralité de sens contenue en chaque mot, Tortel exploite diverses tensions auxquelles le vers peut soumettre la langue. Le blanc, les marges, la ponctuation, des structures syntaxiques disjointes sont des éléments qui interviennent dans le vers tortélien et qui font émerger un sens caché, voire refoulé, au sein du langage. L'organisation de celui-ci est toujours liée chez lui au voir de la page qui circonscrit l'espace du dire. L'une des caractéristiques de cette œuvre est ce qu'on pourrait appeler un *déploiement mesuré* du vers : toujours employé à l'intérieur d'un certain cadre enserrant le texte, le vers *limite* le langage afin de concentrer le réseau de relations et les tensions qui s'y établissent.

Grandement inspiré par Mallarmé, Tortel entretient également des liens étroits avec certains de ses contemporains. L'œuvre de Guillevic, par exemple, renferme selon lui « une des qualités humaines essentielles, et peut-être la plus précieuse : le sens de l'effort, qui le pousse à serrer toujours d'un peu plus près la vérité, à rechercher toujours un peu plus d'exactitude dans les termes et de clarté dans la pensée ; à s'appuyer, pour repartir un peu plus avant, sur la vérité déjà conquise[6] ». Par ailleurs, il apprécie dans l'œuvre de Ponge la « prise de contact avec les éléments de dissonance par lesquels se parfait la complexité du monde extérieur, et qui ne sont là, somme toute, que pour achever de prouver la vérité de ce dernier[7] ». Certains poètes de la génération suivante —

3. Henri Deluy, « Entretien avec Jean Tortel », dans Raymond Jean, *op. cit.*, p. 66.

4. *Ibid.*, p. 73.

5. À ce sujet, Lucie Bourassa se demande à juste titre si « le vers de Tortel ne serait [...] pas [...] une tentative de rendre manifeste, apparente, la présence du vers » (« Le vers paradoxal de Jean Tortel », *Rythme et sens. Des processus rythmiques en poésie contemporaine*, Montréal, Balzac, coll. « L'univers des discours », 1993, p. 254).

6. Jean Tortel, *Guillevic*, Paris, Seghers, coll. « Poètes d'aujourd'hui », n° 44, 1954, p. 29.

7. Jean Tortel, *Francis Ponge cinq fois*, Saint-Clément-la-Rivière, Fata Morgana, 1984, p. 13. À propos de la relation entre ces deux auteurs, voir aussi Francis Ponge et Jean Tortel, *Correspondance 1944-1981*, édition établie et présentée par Bernard Beugnot et Bernard Veck, Paris, Stock, coll. « Versus », 1998, 321 p.

pensons à Du Bouchet, Dupin, Noël et Vargaftig — partagent avec Tortel deux grandes préoccupations : d'une part, le rapport de force qui s'installe entre le monde extérieur et le sujet ; d'autre part, le travail sur le vers qui crée diverses tensions à l'intérieur de la langue. De plus, Tortel a exercé une certaine influence sur des auteurs gravitant autour de la revue *Action poétique*, dirigée par Henri Deluy, ainsi que sur d'autres, comme Claude Royet-Journoud, qui ont poussé le travail sur l'ellipse et le blanc dans une perspective expérimentale. Parmi les héritiers de cette œuvre, on trouve plusieurs poètes dont la démarche se concentre aussi sur l'expérience du lieu, comme Nicolas Pesquès qui, à l'instar de Tortel explorant sans relâche son jardin, fouille les méandres d'une colline ardéchoise[8] ; le québécois Gilles Cyr dont la poésie se caractérise par un sens de l'observation très vif et des vers « serrés » ; ou encore Antoine Émaz qui fait du regard une condition essentielle de son écriture. Aujourd'hui, l'œuvre de Tortel demeure associée à une exigence poétique qui s'est renouvelée constamment au fil des ans ; à un univers dont la cohérence et la persistance sont remarquables ; au regard porté sur les objets du monde extérieur (lieux, matières, végétaux) et dégagé de tout épanchement lyrique ; et finalement, à une langue dépouillée sujette aux tensions du vers et de la syntaxe.

Ce numéro propose une rencontre autour d'une œuvre méconnue, et souhaite en faire partager la richesse et l'originalité. Les études réunies forment un parcours à l'intérieur des textes et se penchent sur les spécificités de l'écriture tortélienne. Le jardin est un lieu omniprésent dans la poésie de Tortel. Territoire circonscrit représentant une portion du monde extérieur, théâtre de la perception sensorielle par l'intermédiaire des activités qui s'y déroulent, îlot sur lequel l'individu projette ses désirs au rythme des saisons, le jardin, comme le souligne Nicolas Castin, « cristallise la violence du rapport au monde et certaines de ses apories ». Son article élabore un itinéraire en trois temps qui recense les éléments matériels, subjectifs et langagiers à partir desquels le poète recompose un espace « habitable », mais toujours offert aux tensions et aux paradoxes.

Entre *Naissance de l'objet* (1955) et *Passés recomposés* (1989), l'œuvre de Tortel a connu une évolution dans ses thématiques et son langage. Suzanne Nash retrace certaines étapes importantes de cette période dont l'une se situe au moment où le poète, terminant son recueil *Relations*

8. Voir les différents recueils de l'auteur consacrés au mont Juliau et parus chez André Dimanche.

(1968), prend conscience de l'importance de la notion de renversement dans l'écriture ; cela le conduira à explorer davantage les ressources de la langue (vers, syntaxe, figuration). Par la suite, la parution *Des corps attaqués* (1979) marque la relation déterminante que l'écrivain établit entre le vers et le corps. Enfin, l'un des derniers recueils, *Passés recomposés* (1989), reprend les thèmes de la mémoire et de l'enfouissement qui étaient présents dans *Les villes ouvertes* (1965). Ce parcours illustre, selon Nash, le désir du poète de redonner aux choses leur caractère intact.

Dans son essai intitulé *Le discours des yeux*, Tortel propose une réflexion sur le regard et l'écriture. Abordant des questions liées au désir, au corps et à la langue, le poète tisse de nombreux liens signifiants entre ces différents pôles. Bien que l'ensemble de l'œuvre tortélienne accorde une grande importance au principe général de la relation, la pensée et la démarche de l'auteur reposent plus précisément sur des rapports de séparation et d'opposition, comme le montre la lecture que propose Marc André Brouillette de cet essai. La « polarisation » apparaît ici comme un mode d'inscription du sujet dans le monde sensible.

Portant une attention toute particulière aux « corps-objets », la poésie de Tortel s'intéresse aussi au « corps propre », comme le montrent bien certaines suites sur lesquelles Catherine Soulier s'est penchée pour analyser le regard dirigé, non pas vers l'extérieur, mais vers l'intérieur du corps. L'écriture devient alors une « entreprise endoscopique [qui] conduit irrésistiblement le sujet à poser (se poser) la question de son identité ». Cette entreprise vise notamment à transformer l'objet de sensation — associé dans les textes au vieillissement et à la douleur — en objet de vision, et ainsi à établir une distance entre le sujet et son corps.

L'acte de nomination prend parfois la forme de la maxime dans la poésie tortélienne, ce qui incite Jean-Luc Steinmetz à écrire que « le formulaire hante toute parole poétique, comme perfection nécessaire et souhaitée ». L'auteur de l'article aborde divers aspects — le renversement, la désignation, le « même » —, par le biais desquels Tortel interroge la présence des choses et la prépondérance de leur caractère énigmatique. En cela, la démarche du poète rejoint celle de Mallarmé, dont l'œuvre parsème les écrits en prose de Tortel, et s'appuie sur une manière d'appréhender les choses qui procède « par traits, projections et prises ».

Le dossier se termine par la contribution de Vincent Charles Lambert, qui a préparé une importante bibliographie de l'œuvre tortélienne et des textes critiques qui lui ont été consacrés. Bien que non exhaustive, cette bibliographie est l'une des plus complètes à l'heure actuelle : nous souhaitons qu'elle facilite la tâche à ceux qui entreprendront d'autres travaux sur une œuvre que ce numéro n'aura pas épuisée.

D'autres avenues, d'autres aspects restent en effet à explorer. Parmi les chantiers en attente, l'un des plus importants demeure un inventaire rigoureux des archives dispersées de l'auteur. De plus, une réédition annotée des principaux ouvrages dans un format accessible au plus grand nombre de lecteurs constitue certainement un autre défi qu'il est nécessaire de relever, si l'on souhaite que cette œuvre sorte de la discrétion imméritée dans laquelle elle est maintenue. Il ne reste plus qu'à souhaiter que ce dossier forme un nouveau «jalon» — pour reprendre le terme d'un des premiers titres de Tortel — dans la diffusion et la connaissance de cette œuvre puissante.

Limites du jardin : un parcours de la poétique de Jean Tortel

NICOLAS CASTIN

Totus tibi manens.

L'épaisseur contradictoire

épaisseur

Ce qui frappe d'emblée, à parcourir les jardins qu'investit la poésie de Tortel, et indépendamment de la période où ils se situent, c'est la densité, la compacité, ou, pour le dire peut-être mieux encore, l'*épaisseur* qui les singularise. C'est là, d'ailleurs, une qualité inquiétante et recherchée, qu'ils partagent avec le monde sensible en entier, et qui semble offrir l'occasion d'une interrogation comme d'une résistance où s'éprouver soi-même. Le ciel, pourtant *a priori* étranger à cette matérialité dense, se voit lui aussi crédité de ce poids très charnel, et l'espace pur qu'il constitue, comme source de la lumière phénoménale, semble, de fait, se laisser éprouver et qualifier d'abord dans une déconcertante épaisseur :

> Le ciel est bleu (quelle aventure).
> Il est courbe.
> Il est épais[1].

L'espace médian du jardin sera à son tour un lieu favori et récurrent où laisser le regard s'enfoncer, plus ou moins heureusement, dans la masse, ou plus exactement le massif, qui provoque son inspection en

1. Jean Tortel, *Instants qualifiés*, dans *Limites du corps*, Paris, Gallimard, 1993, p. 191. Dorénavant désignés respectivement pas les sigles (*IQ*) et (*LC*), suivis du numéro de la page.

même temps qu'il incarne les limites de son rayonnement. C'est précisément sur une telle expérience de l'épaisseur que s'ouvre *Limites du regard* :

> Ce que je vois, où je suis. Quelques monstres
> Apprivoisés peut-être J'entre
> En cette matière. Opaque mais.
>
> Grillagée[2].

Et cette dimension résume souvent à elle seule l'activité proprement naturelle du jardin, comme l'indique l'entame d'un poème daté d'avril 1969 :

> J'attends l'épaisseur,
> Le jardin est maigre en avril[3].

C'est non seulement le sujet dont l'apparition se lie, par le signifiant en tout cas, à l'interstitiel, mais l'espace lui-même, dont l'opacité, la matérialité acquièrent le tassement épais, entre sujet et chose, qui en constitue l'originalité — comme l'origine —, ainsi que le souligne Tortel :

> L'espace
> Est composé par le multiple et grand
> Silence entre les corps. (*LR in LC*, 174)

Cette *épaisseur* semble, d'ailleurs, succéder, dans la poésie de Tortel, à la notion vectrice de *profondeur* ; la structuration spatiale s'effacerait ainsi devant une saisie sensible plus brusque et brute, la médiation, optique en particulier, cédant la place à des sens plus directs et archaïques — tact, odorat ou goût — dans une confrontation globale et synthétique à la présence du monde.

saturation

Cette épaisseur du monde, vécue comme un signe de son existence et un appel à l'investigation sensorielle de ses particularités, vire parfois, cependant, pour entraîner le regard comme la main vers un sentiment de saturation, de trop-plein qui s'incarne de manière exemplaire dans la menace d'étouffement du monde végétal. Le dehors, alors réduit à un

2. Jean Tortel, *Limites du regard, in LC*, p. 119. Dorénavant désigné à l'aide du sigle (*LR*), suivi du numéro de la page.

3. Jean Tortel, *Ratures des jours*, Marseille, André Dimanche, 1994, p. 140. Dorénavant désigné à l'aide du sigle (*RJ*), suivi du numéro de la page.

envahissement incontrôlable des plantes, risque, en supprimant tous les interstices qui le ponctuaient, de déborder hors de ses limites et de précipiter êtres et choses dans une sorte de chaos indifférencié et coloré :

> L'été nourrit les verts
> Ou l'épaisseur probable
> Frémissement d'un trou qu'elle borda.
>
> Alors un cerisier
> Engloutirait tel regard
> Avançant un peu plus
> Vers l'étouffement
>
> Végétal cerisier mais n'importe
> Quel arbre ou quelle chose
> Proposée noire et verte[4].

massif-éclat

On comprend peut-être mieux, aussi, qu'au contact de l'épaisseur immédiate et sensible succède souvent, dans l'écriture de Tortel, l'épreuve d'une tension, en particulier celle qui s'installe entre le *massif*, bloc végétal sans circulation visible, et l'*éclat*, qui constitue son contrepoint phénoménologique strict, puisqu'il singularise en la détachant telle ou telle plante sur laquelle se porte le regard : « le zinnia, la rose d'Inde, le glaïeul » tracent ainsi de fulgurantes ascensions chromatiques et formelles presque individualisées, qui contrastent avec « le massif » :

> Sa couleur, son volume sont
> Étonnants, sombres aussi[5].

C'est là le premier point de divergence entre le jardin et le paysage : loin de l'étagement, de la composition optique, ou plus largement sensible que suppose la structuration de ce dernier (quelle qu'en soit, d'ailleurs, l'échelle), le jardin de Tortel est avant tout le lieu d'un contact sans véritable recul avec la chair des choses.

Sans doute faudrait-il modérer cette scission trop vive, et il est vrai que l'on pourrait découvrir, de temps à autre, certains glissements, en particulier par élargissement de plans, à l'intérieur du jardin, qui relativisent la généralisation de cette différence. Il n'en demeure pas moins

4. Jean Tortel, *Précarités du jour*, Paris, Flammarion, coll. « Poésie », 1990, p. 36. Dorénavant désigné à l'aide du sigle (*PJ*), suivi du numéro de la page.

5. Jean Tortel, *Relations, in LC*, p. 90. Dorénavant désigné à l'aide du sigle (*R*), suivi du numéro de la page.

que de telles échappées restent rares, et que le rapport évident de la conscience sensible face au jardin constitue l'expérience d'une masse plurielle, compacte et indistincte, tant d'un point de vue spatial — notamment, on l'a vu, par l'abolition de la profondeur — que sur l'axe temporel, mort et vie se chevauchant sans solution de continuité. Le jardin de Tortel se présente donc bien comme le lieu par excellence de la confusion catégorielle — et formelle, de ce fait —, celui où :

> (Le vert est peut-être obsession,
> Suinte sur la feuille
> Ici et là-devant,
> Indémontrable, épais, [...]) (*LR in LC*, 154)

Mais l'épaisseur, constitutive du dehors, ne découle pas simplement de ses structures propres, de son caractère élémentaire et compact. Elle s'enracine également dans la configuration originale d'un dedans, d'une perception, comme d'une sensation, multipliant l'interposition d'écrans — vitres, regards, murs, butées diverses — entre le sujet et le monde. L'interstitiel joue à plein du côté de l'observateur, du jardinier. Et cet « entre » spatio-temporel va parfois jusqu'à être vécu comme l'expérience d'un mutisme, d'une dérobade ou d'un refus du monde devant l'effort de nomination du poète. C'est ce que dévoile l'un des textes les plus représentatifs de la poétique tortélienne, qui s'ouvre ainsi :

> Instants qualifiés
> Clairs   Mais la vitre
> Est indéchiffrable. (*LR in LC*, 126)

Entre la qualification, le vœu d'un ordre, ici langagier, et l'objet, la médiation obture le passage et semble, à ce niveau, interdire la circulation. La suite du poème ne fait que confirmer cette butée :

> Il fait jour et là
> Certes clair.   Couleurs justes,
> Rayons, mouvements
> Parfois sublimes. L'ordre
> Est clair.   Mais c'est faux.

autre impossible

Et le désir récurrent, quasi obsessionnel, déployé par Tortel au fil de son œuvre d'atteindre le « cœur » de l'épais, de parvenir, même agressivement, au centre de la masse sensible, du « noir », signifie sans doute d'abord le vœu de contrecarrer le retrait de l'extérieur, et l'échec de la perception — et plus tard de la verbalisation — à aller droit aux choses et à les saisir de façon satisfaisante. Ainsi de cette rêverie développée dans *Instants qualifiés*, qui se focalise à partir d'un espace très large sur une couleur perçue au plus intime de la chair, ici celle d'un fruit :

> Sanguine issue
> D'un très beau jardin
> Mourant au nord,
>
> De colline en colline
> Espère la mer,
>
> Fibre violette
> Au cœur de l'orange. (*IQ in LC*, 202)

Tous les espaces convoqués se concentrent sur le contraste de deux couleurs en lesquelles se lient finalement un monde et le désir pénétrant d'un sujet.

Cette corrélation de l'espace et du désir, ou de l'humeur, se répercute de façon plus générale à l'intérieur des pulsions qui sous-tendent la perception du jardin ; elle devient ainsi le révélateur, bien souvent complice, d'une violence plus ou moins formalisée.

agressions

L'espace domestique qui entoure la maison de Tortel, par sa proximité, par sa clôture aussi, suscite, de fait, de multiples *agressions* de la part de son « jardinier » méticuleux : depuis la taille, encore assez anodine, des platanes, ou celle, plus tendue, des fleurs et des branches, jusqu'au motif[6] récurrent de la *bêche*, véritable prolongement — et puissante amplification — du pouvoir de cassure et d'intervention du corps dans le plus indifférencié de la matière ; c'est toute une gamme pulsionnelle qui se voit proposée au lecteur, chargé à son tour d'entrer dans la masse — ou peut-être le massif — du poème. On pourrait, d'ailleurs, s'attarder plus longuement sur cet outil si actif et si dynamique dans le rapport du poète et de son jardin : la bêche est, de fait, plurifonctionnelle, et polyvalente, elle produit ensemble une rupture et une ouverture, un « renversement[7] » et un éclatement au sein des réseaux qui se nouent au cœur du sol :

6. Au sens très précis que donne Jean-Pierre Richard à ce terme, c'est-à-dire celui d'« objets choisis auxquels la lecture attribue un rôle originel et comme séminal », dans sa préface au *Parcours de Saint-John Perse* de Mireille Sacotte, Paris/Genève, Champion/Slatkine, 1987, p. 9.

7. Sur le renversement, on pourra se reporter aux développements de *RJ*, 195-196.

Toutes racines plus profondes
Que la bêche. Inaccessible
Attente dans l'ombre en vue
De surgir pour être coupées. (*LR in LC*, 139)

Notons tout de suite cet étonnant statut de l'apparition, de la visibilité, jointe de manière finale et quasi substantielle à l'agression tranchante et ordonnatrice de l'outil, voir et couper ne formant que les deux moments d'un seul acte régulateur. La bêche consacre également, et c'est un nouveau point de disjonction par rapport au paysage, l'espace qu'elle fend comme le lieu d'un *travail*, d'une transformation par le corps dont le plus éclatant mérite reste de manifester le dessous des choses :

Le poids dont j'informe la bêche
Et la secousse en vue d'ouvrir
Retournent l'invisible. (*R in LC*, 78)

Espace interstitiel, épais, le jardin est ainsi également la scène où s'affrontent les pressions et contre-pressions du végétal sur le « je » ; muni de ses outils, le sujet intervient et modèle son dehors en lui donnant une « loi » :

J'arrange et je détruis,
Je m'empare de ce
Qui tachera mes doigts. [...]

J'entre et je suis dans cette loi
Que je nomme cela (de l'herbe)

Et qui se défait par l'outil. (*R in LC*, 80)

Mais le dehors influe également sur le dedans, et ces deux pôles traditionnels, ici curieusement instables et malléables, s'enlacent dans une série d'imprégnations réciproques :

[...]   il ne sait pas

Où commence le corps ni comment
Silencieusement s'achève
Ce qui suscite une désignation (*PJ*, 9)

trouée

Tout le travail du poète-jardinier consistera, dès lors, à adopter le point de vue qui sache constituer une épaisseur interstitielle vivable, délivrée de la violence pulsionnelle de la proximité, et de l'incertitude qui en découle — comment, en effet, identifier sans distance ? —, mais distincte par ailleurs d'un éloignement où l'interaction ne serait plus possible. On comprend peut-être mieux, alors, le bonheur de la « trouée » — de l'échancrure à la perforation — qui vient aérer la compacité noire du réel et ses menaces de prolifération, mais laisse en place, à portée de main, la haie ou le bosquet qui a pu la subir. Ainsi de ce feu étonnant, allumé, puis troué, entretenu par les vides — les blancs ? — qu'y ménage une main experte, dans le sifflement de ses allitérations :

> Le feu se déchire.
> Dévore son espace. D'abord
> Attente rousse entassée.
>
> Je le ferai. Souffle limpide il est
> La part que je désigne
> Devant brûler mais qui s'encombre,
> Feuilles collées, gluantes,
> De sa propre épaisseur impénétrable au feu.
>
> Avec la fourche ou le bâton,
> Il faut aérer, faire un trou
> Dans cette masse [...] (*LR in LC*, 152)

Par cette perforation, l'informe peut retrouver sa visibilité, la lumière — le feu —, se manifester et transformer en phénomène ce qui demeurait englué dans une épaisseur sans issue. On comprend assez, par là, la problématique de la *vision* dans cet univers, et combien le jardin sera aussi exercice du regard, « chose vue », épiée, cadrée et scrutée depuis un *intérieur* constitué dès lors en point d'observation, ou de « qualification ».

maison

Parmi ces dedans, l'un des plus présents, et des plus sollicités dans sa généreuse variété, est la *maison*, qui présente une suite de points perspectifs, de foyers visuels, mais aussi de possibilités de cadrage — et c'est aussi en ce sens qu'elle s'inscrit dans cette problématique optique —, notables, en ceci qu'ils permettent des remodelages perceptifs, des cassures, essentiellement visuelles, qui formulent une saisie inédite du dehors. La chambre, les fenêtres, vitres ou volets, décentrant le corps en déplaçant ses limites, étoilent les approches du jardin, multiplient ses angles et ses apparences, de même qu'il transforme et colore l'espace du dedans :

> La chambre est verte parce que
> Le végétal plus large qu'elle
> Approfondit le trou de l'ombre qu'il creusa

> Pour entourer deux yeux qui s'éveillent et voient
> Trompés la chambre noire. (*PJ*, 35)[8]

On pourrait d'ailleurs souligner combien la saisie sensible de Tortel longe et retrouve l'idée phénoménologique[9] que la perception biffe, barre, rature sans annuler le « faux », que le réel se donne finalement par surimpressions synthétiques, et « rayons de monde », et non par abstraction analytique.

corps-chiasme

C'est pourquoi le corps, avec une intensité observatrice supérieure encore à celle de la maison, tient, au cœur de cette poétique, une place cruciale et ouvertement chiasmatique dans le lien qu'il entretient avec le jardin. C'est avant tout qu'il y a engendrement du corps par le dehors, contamination de l'un par l'autre, « entrelacs », pour user d'un terme merleau-pontien, de l'un dans l'autre :

> Feuilles astres paroles
> Renversements hasards
> Produisent parfois
> Merveilleux le corps. (*PJ*, 17)[10]

Cette fusion initiale du sensible non encore divisé en catégories différenciées trouve une transcription grammaticale et stylistique frappante dans la *crase* subjective, ou l'anonymat qui gouverne nombre de prédicats tortéliens. Ainsi dans *Limites du regard* :

> On entasse pour le feu
> Les résidus de l'été
> Ou bien le vent les annihile
> Ou l'eau les décompose. (*LR in LC*, 164)

Dès l'ouverture du poème, le pronom indéfini rassemble en un même mouvement prédicatif le sujet et ses substituts qu'évoque, par ses équivalences soulignées, la suite du quatrain. Élémentaire, le sujet tortélien l'est aussi, à lire ces vers, dans sa superposition constante aux forces premières qui l'entourent et avec lesquelles il se plaît à collaborer. Cet

8. Voir aussi *PJ*, 34.

9. Cette idée se trouve chez Husserl, puis, reprise et développée dans la pensée de Merleau-Ponty, notamment dans les notes de travail du *Visible et l'invisible*, Paris, Gallimard, coll. « Tel », 1964, p. 291 et suiv.

10. On aura noté la syllepse sur « corps », confondant synthétiquement le sens physique ou chimique et le sens biologique.

entremêlement du monde et du moi va plus loin encore : force est de constater une circularité de l'un à l'autre ; la fumée traversant le jardin se loge ainsi :

> Retrouvée ou dans les poumons
> Changée en toux ou taches grasses
> Que les doigts ramifient aux silences d'ennui [...] (*LR in LC*, 157)

Ce chiasme ne joue d'ailleurs pas toujours dans le cadre dysphorique et maladif d'une contamination réciproque. Tout au contraire, il se donne parfois comme un motif profondément euphorique de communion et de bonheur, dans le dialogue harmonieusement compensé de deux épaisseurs lumineuses et poreuses l'une à l'autre :

> Transparent. C'est merveille
> Immobile ici. Le seuil
> Étonnant de jour dense.
>
> (Exulter que cela
> Soit tel. Et toute profondeur
> Calmée.)
>
> J'ai dit : dehors
> Je subis une intensité. (*LR in LC*, 148)[11]

Cet entrelacs référentiel du jardin au corps joue souvent d'ailleurs sur les figures de l'ambiguïté ou de l'ellipse, qui autorisent des renversements saisissants, et permettent de comprendre, chez ce poète aux mains décidément bien vertes, que le jardin n'est pas tout à fait un dehors, qu'il reste toujours quelque chose du corps en lui :

> Palme au sommet d'un ciel
> Agrégé. Rayonnante et verte
> Largeur d'une main. (*LR in LC*, 128)

Une fois posée cette véritable symbiose, les limites du regard rencontrent précisément celles du jardin dans une frappante équipollence, de même que les limites de la chair s'accomplissaient dans celles du corps en s'y délimitant. Il y a bien transfusion du monde au moi, comme y insiste *Précarités du jour*, mais aussi limitation, dans cet écoulement :

> Presque blanche verticale.
> Rupture il ne sait pas.
> Si flamboya sans lumière la même.

11. On pourrait se reporter également au poème précédent, p. 147.

Dans les yeux quand ils ignoraient.
Où commence le corps ni comment.
Il s'achève s'il est.
Silencieusement ce qui suscite.
Une désignation… (*PJ*, 61)

Notons aussi que cette continuité s'accompagne, dans le mouvement même du poème, d'une *continuation* — les deux choses ne sont pas tout à fait identiques, celle-ci incluant la possibilité, voire la nécessité d'un recul, d'une distance — au sein de la « deixis » de la main à la parole, qu'elle « suscite », qui la prolonge et l'achève symboliquement, et que cette relation du geste au signe prend place à son tour dans une homologie récurrente du jardin et de la page. Elle est définie clairement dans *Ratures des jours* : « Sur le poème et le jardin, le travail est de même nature. Renversement : plantation/extraction, taille sarclage, arbitraire imposé et laisser-faire. » (*RJ*, 217) Le rapport du texte et du monde trouve, on le voit, ses limites, traverse ses ratés, ses repentirs. C'est qu'il affronte une problématique tendue dans l'œuvre de Tortel, celle de la forme — de la « limite », si insistante dans son œuvre, même à se contenter de survoler ses titres — et des combats qu'elle suscite.

Trouver une forme, cadrer le sensible, limiter la prolifération matérielle serait, pour cette poésie parfois si myope, parvenir à définir la bonne distance, non seulement celle de l'avènement subjectif, mais aussi, pour rester dans l'homologie de l'écriture, celle de composition de la ligne, ou du vers, autour desquels la réflexion de Tortel ne cesse de tourner, et qui clôt l'un de ses tout derniers recueils (*PJ*, 79), en quête du « nombre et de l'ordre » constitutifs de son écriture. Et définir, c'est ici avant tout cerner, cadrer, découper dans la masse du jardin des formes habitables. Rien là de tactile, car le toucher, dans sa menace archaïque, déroute et défait souvent la forme, l'*eidos*, qui, fidèle à son étymologie, reste de l'ordre de la vision. L'œil aura ainsi charge de tracer les limites internes et externes du jardin qu'il parcourt. C'est bien sur ce vœu que s'ouvre *Limites du regard* :

Ce que je vois, où je suis.   Quelques monstres
Apprivoisés peut-être   J'entre
En cette matière.   Opaque mais.

Grillagée. (*LR in LC*, 119)

La grille du regard se révèle cependant bien peu solide, et les ruptures ne manquent pas, qui déstabilisent, entament et invalident les tentatives de saisie optique. Comme l'écrit Tortel, dans le poème, « il s'agit de maintenir le corps dans ses limites, c'est-à-dire de *l'enclore imparfaitement»* (*RJ*, 120, nous soulignons). C'est là sans doute l'un des traits majeurs de cette poésie, de retranscrire les atteintes constantes portées par le massif sensible aux tentatives d'ordonnancement qui l'approchent, et de s'installer au creux de cette vacillation, dans ce conflit qui ne se résout pas, entre l'informe et l'ordre optatif d'un sens. Le jardin se donne, face à la percée de la vision, comme un espace métamorphique, instable, une substance antérieure à la formalisation ; c'est là le domaine antéprédicatif du *noir* tortélien, voire de l'*obscur*, qui en est une variante plus conciliante, sur lequel bute constamment le désir de formalisation, en affrontant une invisibilité inassignable, indéfinissable, et radicalement déformante :

> Qu'on ne l'appelle plus corps   Mais
> Quand nul ne sait ce qui
> Limitera le vol noir visible
> Encore au réveil
> Déformé vestige d'une
> Apparition qui se délite   les yeux
> Ont le vertige. (*PJ*, 10)

Sous la pression de l'élémentaire, l'ordre fugace du regard se corrompt, et laisse deviner l'irreprésentable, cette donnée originaire dont rien ne saurait rendre compte :

> En face de quoi. Défaite
> En cet amas, ou feuillaison,
> Ou trouée d'ombre derrière
> Ce qui se targue d'apparaître. (*LR in LC*, 138)

Mais cette présence sourde qui excède toute prise — la physique doublant la verbale — n'est pas le seul mode par lequel le sensible déjoue et dénoue les différentes tentatives de formalisation qui peuvent le traverser. La contradiction de la perception peut ainsi faire échouer la « qualification » — qui n'est qu'une forme de formalisation adjectivale — dans certains instants particulièrement intenses du rapport au monde :

> L'été
> Contradictoires
>
> Épithètes
> Foudroient. (*IQ in LC*, 188)

On y perçoit l'entropie centrifuge et angoissante d'une réalité animée d'une violence à quoi rien ne saurait faire face, surtout pas le langage, posant hors du devenir ce qui n'est qu'écoulement :

On ne transgresse pas
Les éléments   ils forment
Le réel   on dit
Élémentaire.

Ca reste ce que c'est sauf que

La terre se délite
Le feu se propage
L'eau coule
L'air n'est pas mesuré.

Les corps un peu partout. (*PJ*, 74)

Étonnant atomisme où la totalité semble s'effondrer et l'élément s'éparpiller en vrac : les choses ne coulent plus, elles s'écroulent, s'éparpillent dans une multitude de microfocalisations. Plus de perspective, plus réellement de forme non plus dans ce « tas » proliférant, à la manière de la haie, elle aussi surchargée de « Feuilles poilues ou molles, / Tiges basses ou calebasses » qui, poursuit Tortel, « s'écrase dans sa propre végétation » (*LR in LC*, 129), et fait proliférer la présence brouillonne d'un premier plan sans recul. On comprend, dans une telle expérience, ce que peut avoir à la fois d'urgent et de risqué le désir de « qualification », qui parviendrait à ramener sinon un ordre, du moins une figure, dans ce jardin d'éclatements et de surimpressions ; on comprend peut-être aussi le trajet de certains des poèmes de Tortel, déployant le parcours d'un vœu de nomination au constat de son impossibilité. Du moins provisoire, car, sans doute, une stratégie d'écriture se joue-t-elle dans cet apparent apophatisme qu'illustrent, entre autres, ces vers :

Livide   livide
Où va ce plomb ?
                    Que le bleu soit
Lumière est impossible
S'il est le plomb.

Nul vocable.
Épithète écrasée. (*IQ in LC*, 193)

Dépourvue d'un langage régulateur, exposée au tournoiement des sensations et au mutisme sourd des choses, la conscience sensible affronte une série de crises, dans sa définition, comme dans ses expressions, qui lui imposent une saisie de soi originale, sachant accueillir la contradiction comme la tension, dans une « subjectivation[12] » elle aussi en crise,

12. Nous empruntons ce terme à Michel Foucault, qui y recourt pour le distinguer du terme de sujet, processus déjà construit, dans son *Histoire de la sexualité III*, « Le souci de

dans son affrontement à une parole essentiellement labile : « Cippes écrits — ou quelques moellons qui restent là, inutiles. Des pages sont des rectangles de ruines. Ça ne sera jamais écrit, jamais édifié solide. Tout, ici, est fragment. » (*RJ*, 148)

Jardin sans figures

sujet critique

On pourrait, ainsi, à bon droit, évoquer l'omniprésence d'un sujet *critique* dans la polysémie attachée à ce terme : à la fois un sujet *pesant*, tâchant d'évaluer et de cerner le jardin qui le baigne de toutes ses apparitions, et un sujet *instable*, pluriel et mobile, ne découvrant son identité que dans une succession d'états souvent contradictoires. Ces états proprement critiques de la conscience sensible parcourent de façon si insistante l'œuvre de Tortel — et plus particulièrement encore ses derniers recueils, *Instants qualifiés*, *Arbitraires espaces* ou *Précarités du jour* — que le titre même de ces œuvres, comme des sections qui les constituent, évoquent les retournements, les à-coups de la continuité percevante comme de la présence au monde.

intermittences

Précarités du jour, ainsi, s'ouvre sur un ensemble de textes fédérés sous l'intitulé « Hypnagogiques », que suivent « Intermittences », puis un peu plus tard « États relativement brefs », et enfin « Intermittences II ». Tout semble ici porter sur l'exploration d'une discontinuité, non seulement dans la structure du monde, opaque puis visible, noir puis coloré, discret puis massif, mais aussi à l'intérieur même d'une subjectivité confrontée à des ruptures d'intensités, à des absences ou des dépouillements, tels ceux du rêve, ou de cette inquiétude « hypnagogique », « propre aux états de semi-conscience ou aux troubles psychiques qui précèdent le sommeil normal ou qui lui succèdent », suivant la définition du *Trésor de la langue française*[13]. Là encore, dans la constitution

soi », Paris, Gallimard, 1984, p. 131. Notre perspective est, bien évidemment tout autre, et, hors de toute référence historique, nous ne retenons de ce terme que le processus conceptuel et existentiel auquel il renvoie.

13. Le *Trésor de la langue française* donne en illustration une citation de Flaubert particulièrement intéressante pour notre propos : « L'intuition artistique ressemble en effet aux hallucinations hypnagogiques — par son caractère de *fugacité* — ça vous passe devant les yeux — c'est alors qu'il faut se jeter dessus, avidement » (*Correspondance*, 1866).

subjective, s'affirme la valeur tout à fait originale et forte d'une situation interstitielle, *entre* conscience et veille, dans l'épaisseur existentielle de cet entre-deux. L'importance de ces disjonctions à mi-chemin du moi et du jardin se dit d'ailleurs fort ouvertement, et Tortel les revendique presque comme une nécessité :

> Un ciel encore
> Ou non.
>
> Séries
> Incomplètes.
>
> Les vides mesurent
> D'impatients trajets.
>
> Les hiatus sont comme
> Les instants désagréables.
>
> Il en faut pour vivre. (*PJ*, 23)

C'est d'ailleurs la perception et, plus fondamentalement, la sensation elle-même qui se trouvent affectées et remodelées par ces ressauts, ces épiphanies évanouissantes ou « aléatoires », qui, sans périodicité prévisible, lient et délient la conscience à la masse sensible. Le chiasme n'a lieu ici que dans un mouvement de don et de retrait qui en constitue la plus troublante singularité :

> Elles sont là remuent devant.
>
> Quelques couleurs sont inconnues.
>
> Les choses font des trous   les yeux.
>
> Fermés les voient.
>
> En forme d'intermittences. (*PJ*, 30)

Ces sautes, ces décrochements de l'adhésion de soi au monde — et de soi à soi — trouvent un lieu symptomatique dans le regard, dont les clignements, battues ou obscurcissements sont vécus par le poète comme autant de petites atteintes, d'encoches faites contre la plénitude de son être-là. La paupière, chair précieuse entre toutes, « immense », écrit Tortel (*PJ*, 40), ouvre ou ferme ainsi dans ses allers-retours permanents la circulation fondatrice, et incarne, de ce fait, le mystère d'une négativité incluse dans le mouvement même de la chair :

> Très souple et peau palpitante
>
> Porte ouverte ou fermée
> Prison la plus noire   barrière

Entre le vert et celui qui
Voudrait le voir

Et permission diffuse. (*PJ*, 40)

La paupière, « écran intermittent », suffit dans son occlusion réflexe pour suspendre le rapport au monde et plonger la sensation dans une intrigante nuit :

Il a suffi
D'un léger mouvement des paupières
Souples à caresser les globes
Effervescents d'abolir les objets. (*PJ*, 52)

ignorance

L'incertitude de la perception devant ses objets se mue vite ainsi en ignorance : ce qui était instable, hypothétique devient obscur, soustrait à l'adéquation comme à la connaissance participative ; la vue, ainsi, achoppe sur l'informel, l'absence de direction et de profondeur de l'espace :

Le regard ne sait pas s'il voit.
Ni l'aire du secret nocturne.
Brillance noire parce que.
Le noir est forme inapprochable. (*PJ*, 60)

Au terme de sa traversée du jardin, le corps se trouve dans un dénuement complet, incapable d'établir une relation fiable avec le dehors, et traversé, dans son épaisseur la plus profonde, de contradictions insolubles, comme forclos du sens, de l'articulation du pour et du contre et de la logique binaire :

Aléatoire corps qui ne sait rien.
De la durée ni de la profondeur.
Ni lequel des deux sens possibles.
Dirige les courbes vers nulle.
Forme et son éclatement ne sait pas.
Nommer les choses visibles les yeux.
Ouverts fermés c'est même chose. (*PJ*, 63)

butées

On le constate ici, le sensible, chez Tortel, traverse une phase de négativation, et finit par buter sur le sens, échouant tant à le saisir qu'à lui donner un nom : l'*épais* se fait imperméable et tourne le dos aux investigations du corps. Le regard :

Traverse la transparence,
Désigne le corps et bute
Sur une opacité. (*LR in LC*, 137)

C'est alors une phase d'arrêt, de suspension :

Le regard s'arrête (alors
C'est l'obstacle, le corps, le mur, le feu, il ne
Peut pas les dépasser). (*LR in LC*, 145)

où l'être doit se contenter d'un rapport superficiel, profondément frustrant pour une sensibilité aussi *pénétrante* que celle de Tortel, avec les nappes sensibles que ses sens survolent, réduits à :

Promener le regard : il frôle
Le haut zinnia orange. (*LR in LC*, 146)

vide

Le premier recours, pour tenter de composer avec cet indéchiffrable, cette absence ou ce refus installés dans la moire charnelle du jardin, serait d'inclure le vide dans la saisie du monde comme de soi. À défaut d'y pénétrer, de pouvoir le scruter et y esquisser un ordre vivable, le poète peut toujours tenter d'en faire une partie prenante de son rapport au monde, et envisager cet infigurable comme un espacement, voire une respiration dans le grain parfois trop serré des choses. Le *vide* permet ainsi d'articuler des blocs sensibles, de faire circuler entre eux le flux de la vision, à la manière, nous y reviendrons, dont le blanc, dans le parcours de la page, peut, lui aussi, et très souvent de façon déroutante chez Tortel, agencer et disjoindre, re-sémantiser ou détacher des « complexes de sens ». C'est une des leçons de ce poème à première vue paradoxal :

Brusques passages, blancs et verts,
Dans les cadences.

De figure en figure il est
L'intouchable.

Le vide entre deux corps.

Chacun se construit par le vide
Autour de lui tournant. (*LR in LC*, 171)

Le vide, qui assure à la fois l'autonomie de la figure et sa paradoxale liaison, en tout cas sa coexistence avec d'autres figures, qui soutient donc tout l'édifice de la « chair », au sens le plus phénoménologique du terme — ici perçu comme tournoiement — est réinvesti d'une valeur quasi architecturale, dessinant, au sein de l'espace, la scansion nécessaire pour qu'un « quelque chose » puisse advenir.

éclatement

Il existe cependant une autre forme de « crise » à l'intérieur du sujet tortélien, qui a moins affaire à la négativité, à la part manquante au fondement de la sensation, qu'à l'étoilement, voire l'éclatement des pôles perceptifs, qui mène souvent la voix traversant le poème au bord de la disjonction. Absorbée par des focalisations multiples qui pluralisent la trame du texte, la conscience poétique perd son unité en l'égrenant dans une collection de notations hétérogènes, tant dans l'espace du dedans que dans celui du jardin « externe », qui s'échangent parfois étrangement :

> À l'intérieur de soi
> Sans cesse un autre et d'autres formes
> Confusément naissantes, remplacées
>
> (Se remplaçant, veines et fibres,
> Sucres gouttant roses, laits
> Engorgés des corolles,
> Tumulte souterrain des graines),
>
> Perdues pour le regard. (*LR in LC*, 168)

Monde peu prévisible que celui où s'engage le sujet instable de ces pages, où règne la temporalité de l'abruption, loin des chaînes tranquilles de la causalité. Cette métamorphose constante du jardin conduit d'ailleurs l'être plus loin qu'un simple état critique, vers une position d'incertitude absolue, voire de clivage interne. La sensation n'est jamais anodine, ni neutre, sa force archaïque dérange les certitudes d'un jour désormais bien précaire.

clivage

La *division interne* du sujet dans l'expérience du jardin, que retracent la plupart des poèmes écrits par Tortel, suit d'abord assez fidèlement la scission déjà notée entre les modalités optique et tactile de rapport au monde. Ouvertement thématisée, cette division n'en demeure pas moins une ligne de partage du sujet en deux instances adverses, sans que celui-ci parvienne à choisir l'une plutôt que l'autre. Il est d'ailleurs significatif que le champ d'affrontement premier de la main et de l'œil soit précisément celui du corps, c'est-à-dire du socle même de la constitution de soi dont la clef reste inaccessible :

> Le combat du regard et de la main
> Tourne autour du corps.
> On ne sait lequel est obscur.
>
> Aucune satiété possible.
> Mais rupture. (*LR in LC*, 127)

Au regard ponctuel, qui étrangle le réel dans les limites de son cadre, s'oppose ainsi la main floue, myope, à tâtons dans l'obscur : la distance structure, mais manque la présence ; le contact épouse le grain des choses, mais échoue à articuler un sens dans sa proximité aveugle :

> Le cadre limite
> La transparence.
>
> Quatre angles droits. Le mur
> Est cependant ouvert. La vitre
> Ne se dilate pas. Ainsi
> Contribue-t-elle au même étranglement
> Du regard.   Du moins :
> Transparence le temps
> D'une fenêtre. Avant, après,
> La main tâtonne et la muraille
> Ne bouge, ne résonne pas. (*LR in LC*, 176)

Le moi — plus souvent un « on », d'ailleurs, ou un « soi » — se trouve ainsi confronté à une double énigme : celle du monde, impénétrable, et celle de sa propre sensation, obscure et scindée. Nulle transparence du regard, en effet, ici, mais plutôt un fonctionnement déroutant, une visibilité paradoxale et incompréhensible, qui concerne, dans le poème qui clôt *Instants qualifiés*, aussi bien le voyant que le visible, réunis dans la syllepse initiale de la fleur et de l'œil :

> Devant l'iris
> Depuis le dernier tonnerre.
> Là.
>
> Jaune et mauve.
>
> Malgré la couleur
> Cela qui se voit
> Éclate dans le blanc. (*IQ in LC*, 224)

présentatifs

Les présentatifs, si spectaculaires dans cette écriture, constituent peut-être la première issue pour esquisser une verbalisation — une écriture — de cette expérience. Tous ne sont sans doute pas investis de la même valeur ; d'un côté, les présentatifs globaux, bruts, qui retranscrivent de leur mieux le compacité de la sensation : essentiellement « ce[14] », qui peut s'élider, et « ça ». Ainsi de l'*incipit* saisissant de ce poème :

> C'est en forme de tas,
> S'est précipité, s'agglomère
> Cailloux veinés bleu et rose. (*LR in LC*, 132)

où la prédication semble procéder par contradictions suivies — la forme et le tas, le continu et le discret — tandis que la postposition du sujet laisse suspendu le thème dans une notoire indéfinition. La résolution peut d'ailleurs parfaitement rester inachevée, et le poème se déployer sans véritable sujet, dans une inquiétante cécité :

> Ce fut très abîmé
> Humide cela
> S'écartait sous la main.
>
> La verdure et l'eau
> Obscures ensemble.
>
> Toucher cela laissait
> Des traces sur la main. (*LR in LC*, 162)

À côté de ces globalisateurs lourds, une autre série, incluant « ceci », « cela », joue dans la même volonté de présenter l'incernable du jardin et la taciturnité de ses structures, mais de façon moins dense, en liaison avec une vision, ou une visée, dans la possibilité d'un échappement où s'affirme leur pouvoir *déictique* :

> Cela : si le jour le dénonce — et pas
> Plus que la grise absence
> Dans un matin sans profondeur
> De ce qui tarde à réveiller
> Son corps [...] (*LR in LC*, 160)

14. On rappelle qu'en grammaire guillaumienne, « ce », « pronom dépersonnel », est « la forme prédicativée de la personne d'univers ». Voir Gérard Moignet, *Systématique de la langue française*, Paris, Klincksieck, 1981, p. 169 et suiv.

Le monde reste opaque, mais il se dégage ici, malgré tout, une petite phénoménologie, différée par les enjambements et les distensions grammaticales, qui laisse voir quelques teintes et l'esquisse d'un paysage — non encore un jardin. De même :

> Ceci est nul paysage.
>
> Le gravier crisse étrangement
> Dans l'été, le matin. Plus rien
> Que la distance Descendue
> Dès l'aube et pour défaire
> Ce jardin. Le corps
> Brusquement aboli. (*LR in LC*, 133)

Poème surprenant, qui dissout son objet avant même de l'avoir posé, et trace, rapidement, un espace sans plus de directions, où les données sensibles semblent se défaire, et, dans cette désagrégation, ou cette disparition, se constituer objet d'écriture. Que reste-t-il, au bout du compte, une fois accomplie cette radicale évacuation ? Une présence incertaine, questionneuse, en doute sur la validité de ses propres structures, et qui ne parvient guère à adopter, tant face aux choses que face à elle-même, la bonne distance, l'épaisseur respirable et tempérée qui lui permettrait de se situer.

accommodation

On comprend sans doute alors comment et pourquoi l'un des problèmes majeurs de cette poétique est celui de l'*accommodation*, entre violence et perte, qui permettrait de sortir de l'opaque, ou du noir. Comme l'avance Tortel :

> On dit massif ou ensemble
> Ou, pour mieux respirer, perspective.

Et cette adéquation du sensible au sentant permettrait de ressouder ce qui, du sujet, avait été clivé, lui donne l'espace pour sortir de ce *cogito* négatif où s'effondrait toute expression :

> Je ne vois rien. Je suis
> Dedans. Qui n'a pas de limites.
> Informel informulé.
> Et ceci qui se gonfle et souffle
> N'est pas poème. (*LR in LC*, 134)

Écrire le jardin

L'écriture tient, on va le voir, un rôle décisif tant dans la thématique de Tortel que dans le déblocage existentiel qui tente de sortir le sujet de ces impasses. Lieu de l'épaisseur sensible, le jardin cristallise la violence du rapport au monde et certaines de ses apories ; il se trouve cependant également, et dans le même temps, à la source de l'« inépuisable image », centre vivant où prend corps une écriture, dans l'interaction du monde et du langage.

langage

C'est ainsi l'épreuve du jardin qui fait pousser la parole et croître le texte, dans un échange mis en œuvre dans *Limites du regard* :

> [...]   J'entre
> En cette matière.   Opaque mais.
>
> Grillagée.
>
> En remuant, glissant avec douceur
> Couche sur couche elle suscite
> L'inépuisable image.   Clés
> Successives   L'un ou l'autre
> Texte beaux déchiffrés. (*LR in LC*, 119)

L'étonnant feuilletage du sensible ouvre, à la manière d'une clef, les grilles où la confrontation initiale avait réduit le sujet, qui acquiert même le pouvoir exorbitant, par la vertu de ses mots, d'offrir un contrepoint à la donnée immédiate des choses. Dans le même poème, de fait, Tortel poursuit :

> Feu ou bien feuille, fleur ou fleuve.
> Une lettre changée recommence le monde
> Exactement.

Si, à la source de l'écriture, se trouve bien l'expérience, accomplie au plus intime du jardin, du toucher, de l'obscur, de la régression élémentaire, si la prise de conscience du solipsisme itératif du regard empêche tout « ordre », toute pré-disposition du perçu[15], si, enfin, l'antagonisme du corps et du monde fait de la chair le lieu polémique d'agressions

15. Voir, entre autres, *LR in LC*, 126 : « De l'espace et du temps nulle figure / Ne le contient puisque chaque regard / Est le premier ou reste aveugle. »

réciproques[16], il n'en reste pas moins que les ressources du langage, et en premier lieu de la parole poétique, permettent de redessiner un espace à l'épaisseur habitable. C'est qu'avec eux, le sujet — ce « je » clivé et problématique — se dégage de l'être, de l'existence de la catégorie, de l'élément ou de la chose, et contribue — voire suscite — leur expression, en désignant la virtualité d'une signification :

> Que j'avance ou n'avance pas
> Ne change rien
>
> À l'espace, à la rose jaune
> Qui tremble un peu trop haut.

avance ainsi le poète, avant de rétablir un équilibre, précisément par l'effet de son *langage* :

> Mais cet espace et cette rose
> Exempte de colère
> Ont besoin de moi quand et si
> Par malheur ils éclatent [...]
>
> Mais cette fleur et ce vide inchangé
> Qui me réclament pour paraître
> Gagner un sens en devenant des mots [...] (*R in LC*, 93)

présence et couleur

De même, l'apparition ne pourra devenir véritablement présence qu'en passant par la subjectivité qui la grèvera d'un poids neuf : il est, ainsi, un « voir », un « sentir » purs, chez Tortel, comme dégagés de leurs accidents, qui renvoient à la profonde réunion de la chair, une fois transformée par le « je ». La *couleur* y constitue réellement un enjeu capital, à la croisée de la sensation, d'où elle procède, et du langage, et plus précisément de la *qualification*, qui la fait advenir. Chiffre existentiel et emblème sensible, elle occupe une place à part, et un rôle privilégié dans la constitution du sens, ramassant l'angoisse comme l'élan du poète, qui, dès *Relations*, avance, au cœur du jardin :

> C'est vert et bleu. Après ma mort
> Ce sera vert et bleu.
>
> Les couleurs sont toujours moins franches
> Qu'il ne s'est dit. (*R in LC*, 88)

16. Voir *IQ in LC*, 192, qui déploie cette étonnante entame du corps par le jardin, sous le motif perçant de l'*écharde* : « Sauvage, quoi ? L'écharde / Est transparente. / La chair est pure. / Le cristal aérien taillé / Admirablement s'enfonce / Aigu, mais ronce de colère [...] »

On le saisit ici très concrètement, les couleurs, dans l'écriture de Tortel, font exactement le pont entre existence et expression : elles désignent la chose, ou l'espace, mais y projettent, ou en dégagent, une valeur affective forte, et parviennent, par là, à créer une circulation entre ces deux pôles. La couleur, pour Tortel, dit à la fois, en la soulignant, la qualité de la chose, et s'inscrit dans une problématique de la condensation, de l'intensité, voire de la saturation chère au mode d'investissement du sensible défini par cette existence. Elle en vient, par là, à résumer et à concentrer tout l'être perçu, réduit à cette donnée fondamentale qui lui donne accès à l'apparition :

> Pré ciel
> Vert bleu
> Pluriel vers le noir
> Précieux certes mais quelle autre
> Couleur cristallisera l'ombre. (*PJ*, 33)

On peut bien dire, à ce point de notre lecture, que la couleur détermine, dans la poétique tortélienne, une « structure intentionnelle de la conscience », voire qu'elle circonscrit la dimension la plus essentiellement sensible de la subjectivité. La lune ainsi, pourtant source de lumière et, de ce fait, *a priori*, principe de couleur, se voit en fait métamorphosée par le regard qui la colore suivant les heures et les humeurs qui le traversent, et consignée, écrite, en suivant la succession, l'alternance de ses teintes :

> Elle n'est pas toujours
> Ailleurs que suppliée
> Qualifiée froide ou sereine
>
> Ou par d'exhaustives couleurs
> Blanche selon les yeux ou verte. (*R in LC*, 85)

Il peut d'ailleurs se produire, en dehors d'un cadre dénotatif cohérent, que la couleur n'apparaisse que comme la simple projection d'une qualité dont le sujet investit l'objet, ou son mode d'être. Elle prend en charge, dès lors, une sorte de poids symbolique, qui n'est pas sans ambiguïté à l'intérieur du discours :

> Irrégulier, humide et transformé
> Par les saisons,
> Feuille et feuille, les mouvements
> Sont verts des futures ombelles. (*R in LC*, 77)

Le *« vert »* de la transformation, de la *phusis,* déjà opposé au *brun*, ou au marron de la *stasis*, de la fixation, qui formeront un contrepoint dans l'œuvre de Tortel jusqu'aux limites de *Précarités du jour*, apparaissent dès « Critique d'un jardin » (*R in LC*, 77-78) munis de leurs charges symbolique et existentielle propres.

nocturne

La racine de la couleur se trouve cependant dans des couches plus archaïques encore de la conscience, celles que révèle, par exemple, la nuit : le jardin nocturne tient une place notable dans la chronique que constitue l'œuvre de Tortel, non seulement parce qu'il opère un recadrage, une refiguration sans pareille des visions diurnes — et qu'il tient en échec, de ce fait, les pulsions du voir — mais aussi parce que s'y libère plus aisément le jeu d'un *désir*, trop tenu par les formes de la lumière, comme y insiste ce passage de *Limites du regard* :

> Les nuits statues sont orbites pareilles
> Également lisses et rondes
> En creux,
>
> Sont fissures jumelles
> Où s'insinue la sourde graine
> Pour respirer.
>
> Le glaïeul déchiré
> Est une tache d'encre rouge
> Sur le gravier.
>
> Une noirceur est éclatante
> Interdite et touchée. (*LR in LC*, 143-144)

Couronnement étonnant que cette ténèbre radieuse, aux accents presque mallarméens, qui, dans l'interdit transgressé de sa présence, met le poète en communication avec le plus originaire, et le plus paradoxal, de son expérience.

noir

Et à ce point profond, la dichotomie de l'œil et de la main s'annule : pour signifier le contact, Tortel recourt en effet non à des valeurs tactiles — doux, lisse ou rugueux — mais à ce « noir » qui dit le contact sur le mode négatif de la non-vision. Le *noir* est donc bien une non-couleur, en ce sens qu'il signale, avec une intensité incomparable, le début et la fin de toute épiphanie, comme dans cet instant privilégié où le corps prend connaissance d'un dehors sans parvenir à lui donner figure :

La main se dégage
Humide et noire
Des herbes rompues.

Elle a tâté l'obscur. (*LR in LC*, 124)

Cette couleur originaire, ou plutôt cette dimension originaire du rapport au monde, le « noir », ou l'« obscur », voire le « sombre », si volontiers substantivés par Tortel, désignent aussi l'espace du surgissement verbal et de sa transposition écrite. Si, de fait :

Obscure est l'apparition noire et verte
Levée dans des herbes abstraites
Aléatoire et qui les étonna. (*PJ*, 38)

la parole poétique trouvera là matière à se formuler, à pousser puis à trouer la compacité des choses où elle puise ses ressources, et dont, dans l'allitération de bilabiales qui la scande, elle semble garder trace :

O**b**scur était
Le mutisme et dans l'o**b**scur
La **p**oussée que je **p**arle. (*LR in LC*, 131)

clarification

Cette « poussée » conduira d'ailleurs de l'informe à la lumière, tout du moins à une clarté précaire mais allégeante, à une épaisseur plus translucide que l'opacité qui l'a produite. C'est ce qu'indique sans ambiguïté la longue phrase sinueuse de ce poème :

Plus clairs d'avoir été en signes noirs
(Tordus, vermiculés ou pattes
Qui se cassent facilement)
Transformés comme si, d'un règne
À l'autre et dans le vide
D'un linge blanc, des mains (des yeux)
Les transportaient en vue d'un usage futur,

Donc plus clairs et sans qu'on me dise
(Alors que je le dis) pourquoi
Cela se passe à travers l'écriture,

Sont les instants. (*LR in LC*, 131)

Les non-couleurs traditionnelles — noir et blanc — servent donc de fond à la manifestation sensible — ce que ne peuvent accomplir les teintes variées qui parcourent l'œuvre de Tortel, qui ne sont qu'apparition, non pas présence — et donnent son espace au travail de la page.

homologie

Car l'homologie est forte ici, entre la page et le jardin, et clairement énoncée. De même que la conscience sensible n'advenait que dans la traversée d'une épaisseur matérielle, de même dire, puis écrire, ne semblent avoir de sens qu'à s'inscrire dans un trajet, très physique et spatialisé, d'un point de l'expérience à un autre :

> Dire veut dire : je vais
> Où je vois
> À partir de ce je. (*IQ in LC*, 221)[17]

C'est ce qui explique la réversibilité si troublante entre le cadrage de la page et celui du dehors, entre l'espace du jardin et l'espacement si travaillé, distendu dans cette écriture où le rapport au monde et l'acte poétique se constituent dans un rapport d'enjambement, d'empiétement et de continuité soulignés :

> La tourmente est verdâtre.
>
> Le crayon sauvage du vent
> Rature l'espace, recouvre
> Les plantes incertaines,
> Texte déjà violet, jaune,
> Proche de son éclat.
>
> Imiter
> Cela dans le rectangle homologue mais blanc [...] (*LR in LC*, 173)

complémentation

Il y aurait donc un lien de complémentation entre le dedans et le dehors, que l'écriture mènerait à son achèvement et à son terme, comme l'affirme le poète face au ciel « bleu », « courbe » et « épais » :

> Il est éblouissant.
> Il m'éblouit : je le complète. (*IQ in LC*, 191)

limites

Cette « invention » réciproque, par « porosité » du moi et du jardin, rencontre cependant quelques limites notables qui poussent à reformuler l'approche trop fusionnelle et circulaire que l'on serait vite tenté d'adopter. Tortel évoque d'ailleurs lui-même :

17. On pourrait aussi se reporter à *LR in LC*, 170.

La distance
d'une limite à l'autre irréductible. (*LR in LC*, 173)

image-figure

Et c'est finalement dans ce défaut que la poésie de Tortel affrontera toute la difficulté de sa tâche, celle de qualifier, inlassablement, et toujours à côté, l'instant où elle advient ; l'instant recherché fournit, dans sa discontinuité, ses ruptures et ses reprises, le plus fécond de la poésie tortélienne. C'est qu'une telle ambition tente aussi, et par là, de passer de l'*image*, donnée sensible, éprouvée immédiatement, et souvent disqualifiée par le poète, à la *figure*, configuration verbale issue du massif « esthésique » mais parvenant à le chiffrer de façon à laisser sa place au je, et le champ libre à l'écriture. Ainsi que le souligne Tortel :

> L'*image* obsédante ne participe donc ni du réel ni de l'utopie. Elle est plutôt la représentation métaphorique d'un manque dans l'accomplissement. Toute fascinante ou brillante qu'elle soit, elle se situe dans l'espace vide, ou noir, que chacun porte en soi. Et peut-être vide, peut-être noir comme tout lieu insituable, parce qu'il y a de la complaisance à l'évoquer et à le retenir. Je déteste l'image, précisément si elle m'obsède et recule ainsi le réel. Mais comment la détruire ? Sauf qu'elle meure d'elle-même, flétrissement triste, le seul moyen est de maltraiter la malice métaphorisante soit en transformant l'image en réel (en un processus inverse à celui de l'écriture), accomplir le désir ; soit au contraire, en le renversant en écriture [...] qui en deviendra la *figuration*. (*RJ*, 151-152, nous soulignons)

qualification

C'est là, également, tout l'enjeu du moment crucial qu'est la qualification :

L'instant de la qualification
Étant celui, par des voies arbitraires,
Audibles ou non, sinueuses
Contre l'obstacle,
Jeu ou chute, du passage
De l'image dans la figure,
L'image est toujours maltraitée. (*IQ in LC*, 197)

C'est ainsi par une tension, parfois d'ailleurs une torsion, que se distingue l'écriture poétique de Tortel, entre, d'une part, la masse irreprésentable et pourtant matricielle des choses, de cette chair reliant, dans son mutisme, le corps au jardin et les corrélant de façon essentielle, et, d'autre part, le désir impuissant d'instaurer un ordre, de laisser se creuser une vision fédératrice, qui trouve à se formuler dans les jeux de la figure, cette recomposition verbale d'une unité à jamais insaisissable, mais qui constitue la poétique même de Tortel : « un merveilleux réseau [...] dont la complexité est telle qu'il ne s'agit plus du tout d'entités mais bien de figures se suscitant mutuellement par l'écriture, c'est-à-dire, très exactement, de poésie » (*RJ*, 168).

La présence de Jean Tortel

SUZANNE NASH

Un des traits les plus marquants de la poésie tardive de Jean Tortel s'observe dans le sentiment croissant d'urgence que le poète insuffle à la tâche de traduire dans le corps d'une langue mesurée les objets matériels de sa vision, les soustrayant ainsi au flux infini de la réalité phénoménale. « Pour nous, qui vivons à la fois dans l'univers naturel et dans celui de la parole, notre désir est de faire en sorte qu'une désignation (ou qualification) perpétuelle transfère le premier dans le second[1]. » Pour lui, cette pratique est une affirmation de la vie et de la présence qu'il oppose au chaos et au non-sens, comme une transcription vivante par laquelle les images rétiniennes pénètrent son corps, l'infiltrent et le troublent de manière à faire naître les mots qui reconstituent le champ de sa vision : *rose, orage, branche, haie, vitre, géranium, cendrier.* Il désignait cet acte de nommer, composé par de brèves lignes de vers se fondant dans de courtes strophes, comme une barrière contre le vide de la page blanche :

> [...] la notion de limite [...] sous-tend perpétuellement ma poésie [...] ça me fait *du mal*, cette notion d'intemporalité. D'éternité, d'illimité. [...] c'est pourquoi j'attache une très grande importance à la structuration, [...] à coup sûr *physique*, *corporelle* d'une écriture. (*EJT*, 91)

> Ce sont les événements psycho-sensoriels qui me bousculent, qui m'étoufferaient [que je renverse sur la page pour ne pas devenir fou...] (*EJT*, 94)

1. Suzanne Nash, « Entretien de Jean Tortel », *Po&sie*, n° 29, 1984, p. 93. Dorénavant désigné à l'aide du sigle (*EJT*), suivi du numéro de la page.

Dès le début de sa pratique, Tortel conçoit le langage poétique comme une façon de préserver ou de ressusciter la vie des choses matérielles condamnées à disparaître — ce que suggère le titre d'un de ses premiers recueils, *Naissances de l'objet*, publié en 1955. Pourtant, ce n'est qu'à partir de *Villes ouvertes*, une série de poèmes publiés en 1965 sur des villes enfouies, certaines historiques ou légendaires, d'autres imaginaires, que l'on peut constater une nouvelle orientation dans sa façon de concevoir sa vocation. L'ouvrage posthume, *Limites du corps*, publié en 1993 aux éditions Gallimard et qui rassemble un choix de poèmes édités par Henri Deluy à partir de quatre recueils publiés entre les années 1965 et 1973 — *Les villes ouvertes*, *Relations* (1968), *Limites du regard* (1971) et *Instants qualifiés* (1973) — saisit, de manière éloquente, l'intensité de ce changement. En 1983, Tortel reconnaît que l'écriture de *Villes ouvertes* et de *Relations* marque un tournant décisif dans sa pratique. Il en était arrivé à la conclusion que la poésie ne pouvait plus être guidée de manière complaisante par les formes faciles du lyrisme. Elle devait être une expérience de transcription pleinement consciente et volontaire, rappelant le patient travail d'excavation des archéologues ou, plus justement encore dans son cas, des jardiniers :

> [J]e me suis demandé très longtemps pourquoi j'ai écrit *Villes ouvertes*, et maintenant je pense que je le sais. Dans la dernière partie d'*Élémentaires*, surtout, il y a des poèmes qui m'ont très vite paru dangereux [...] Disons un lyrique complaisant à son propre langage [...] j'ai fait *Les villes ouvertes*. Ça a été en quelque sorte un coup de frein. Et ce ne fut qu'après avoir écrit *Relations*, où je cultive mon jardin, que j'ai pris conscience de la notion essentielle de renversement ou de retournement. Bêcher le jardin, mettre à la surface ce qu'il y a au fond, faire sortir les vers, et faire prendre l'air au côté chtonien de la terre, au côté obscur [...] mon écriture tente toujours l'opération de renversement ; la même, au moins métaphoriquement que celle par laquelle l'image devient figure, sur la page. La figure est le renversement de l'image, comme la terre noire retournée par l'outil laisse apparaître le ver. (*EJT*, 101)

Ce concept fondateur de *retournement* a déplacé une fois pour toutes le foyer et la mise en forme de l'écriture de Tortel : d'une langue qui fait référence au monde en empruntant des images visuelles, composée selon les conventions de la forme lyrique — comme c'est le cas, par exemple, dans *Naissances de l'objet* —, le poète est passé à l'acte d'écrire en tant que tel ; il a délaissé le champ figural de la métaphore pour celui de la syntaxe et du mètre. C'est aussi ce que laisse entendre Henri Deluy dans son introduction à *Limites du corps* :

> La nouvelle donne rythmique ne peut plus jouer sur les accents, ni sur l'arbitraire d'une poétique constituée il y a trois siècles, elle s'appuie sur les mots et sur la syntaxe — la pesée et la situation des mots remplacent le compte —, dans une cadence de plus en plus intériorisée[2].

Jean Laude, dont la poésie transmet l'idée d'une déconstruction extrême de la langue conçue comme un système producteur de sens, a repéré, dans les vers de Tortel, une nouvelle « musique » dès 1961 :

> [...] Jean Tortel nous montre [...] la nécessité dans laquelle il se trouve de fonder une métrique, d'imposer une diction et un ton de voix qui puissent respecter la nudité suffisante de l'émotion et de ce qui la suscite. [...] cette musique n'est plus dans les sonorités flatteuses d'une mélodie filée mais dans l'organisation interne, dans l'engagement syntaxique[3].

Dans la partie intitulée « Explications de texte » qui se trouve dans *Relations*, Tortel démontre ce qu'est la poésie en déformant la prose unie, descriptive, souvent exagérément rhétorique des dictées scolaires, comme dans « La tonte des brebis » ou « Le pommier », pour la transformer en de brèves lignes rigides, noir contre blanc, dénuées de toute fioriture métaphorique, lignes et petites strophes qui se présentent comme l'acte même de transcription. Chaque mot est qualifié et qualifiant (*Instants qualifiés*), chaque ligne modifie la précédente. Pour Tortel, ce processus de différenciation perpétuelle impose un nouvel ordre aux choses qui les préserve du non-sens[4]. Pour reprendre un terme que lui-même a emprunté à la rhétorique de son maître, Jean Royère, la poésie doit être l'expérience soutenue de « l'antinomie », une langue singulière, discontinue, qui crée de manière paradoxale un sentiment non pas d'unité mais d'équilibre, une langue qui incarne à la fois la violence de sa séparation d'avec le monde naturel et l'ordre créé par le poète, la clarté et l'obscurité, la blancheur et la noirceur tout à la fois : « blancheur parole de la nuit[5] », comme il l'écrivait plus tôt dans un poème de *Naissances de l'objet*. Dans les poèmes plus tardifs, rassemblés dans *Limites du corps*, l'attention que porte Tortel à la distinction entre vers et phrase est évidente :

2. Jean Tortel, *Limites du corps*, Paris, Gallimard, 1993, p. 17. Dorénavant désigné à l'aide du sigle (*LC*), suivi du numéro de la page.

3. Jean Laude, « Jean Tortel, la parole et l'objet », *Critique*, n°s 171-172, août-septembre 1961, p. 703. Cette citation est aussi reproduite dans mon article « Living Transcription : The Poetry of Jean Tortel », *Studies in 20th Century Literature*, vol. 13, n° 1, hiver 1989, p. 35.

4. Voir « Living Transcription : The Poetry of Jean Tortel », *loc. cit.*, p. 30.

5. Jean Tortel, *Naissances de l'objet*, Marseille, Cahiers du Sud, 1955, p. 38.

> Le vers est une espèce de phrase, mais c'est le contraire d'une phrase parce que la phrase ne s'arrête que logiquement. Si je pose un point, c'est que ma pensée s'arrête, tandis que le vers s'arrête pour des raisons qui lui sont internes. (*EJT*, 100)[6]

Dès lors, chaque ligne de vers représente à la fois un écartement à l'intérieur de la continuité et l'incarnation de l'expérience sensorielle, unique, du poète. Après *Relations*, avec *Des corps attaqués* (1979) par exemple ou *Le discours des yeux* (1982), on peut voir que le texte enregistre les changements qui ont lieu dans le corps du poète, que la figure de la ligne sur la page est inextricablement liée à sa vie. « Ces limites sont les miennes et signalent le je que je suis[7] [...]. » Le texte se troue à mesure que la vision du poète vient à manquer — comme c'est le cas dans *Les solutions aléatoires* (1983), où la blancheur du vide à l'orée des marges envahit la ligne du vers, ici et là, tout comme la tache aveugle trouble la vue de Tortel dans ses dernières années — et disparaît par la suite avec la mort de l'observateur :

> Il ne le voit plus.
>
> Ne l'a peut-être ainsi.
>
> Jamais vu nul mensonge.
>
> Ne rêve pas il assiste.
>
> Au soulèvement des ratures.
>
> Hors du regard il interpelle.
>
> Un espace troué[8].

Chaque ligne, chaque poème de la période tardive expose de manière tangible, à l'intérieur de la structure du vers, la lutte du poète vivant contre le vide :

> Le trait   rev
> Enant a gauche renversé
>
> Par la main diligente

6. Henri Deluy a souligné que le matérialisme extraverti de la poésie de Tortel a remplacé les règles de la prosodie [comme moyen de définir sa pratique] : « Pour exister le vers a besoin de se montrer » (Henri Deluy, « Entretien avec Jean Tortel », dans Raymond Jean, *Jean Tortel*, Paris, Seghers, coll. « Poètes d'aujourd'hui », n° 247, 1984, p. 76).

7. Jean Tortel, *Le discours des yeux*, Marseille, Ryôan-ji, 1982, p. 13.

8. Jean Tortel, *Passés recomposés*, Marseille, André Dimanche, coll. « Ryôan-ji », 1989, p. 50. Dorénavant désigné à l'aide du sigle (*PR*), suivi du numéro de la page.

Contre l'originaire rien

Qui le réveillera[9].

> Je crois que dans le poème, l'acte essentiel est au moment où on passe à la ligne. Pourquoi passe-t-on à la ligne ? Vous voyez cette chose qui s'avance, là — on dirait une grappe de cerises, on dirait un ver, un bâton brûlé — cette chose qui part du vide, du blanc, de la marge gauche et qui s'avance. Et brusquement (c'est la différence entre le vers et la prose), elle s'arrête devant un autre vide, blanc, qui est la marge de droite. (*EJT*, 91)

Les poètes que Tortel admira dès le début de sa pratique poétique sont ceux qui explorent les limites matérielles de la langue autant que les limites matérielles du monde, des écrivains que Jean Royère lui avait recommandé de lire : Théophile de Viau, Maurice Scève, Baudelaire, Mallarmé, Éluard, Reverdy, entre autres.

> J'ai d'ailleurs commencé à écrire à partir d'une recommandation, d'une injonction de Jean Royère, qui fut mon maître et qui, dans sa revue *La phalange*, a introduit Mallarmé dans l'historicité de la poésie française. Il était platonicien. Et cependant son premier avertissement fut de me prévenir : « Jean, me disait-il, la poésie ne doit pas être regardée dans son essence, mais dans sa matière. » [...] Et en même temps, comme c'était en 1925-1930, j'envoyais à Royère des poèmes en vers libres, vaguement surréalisants ou symbolisants ; ce fut comme un barrage : « Effacez tout et recommencez, me disait-il. Un vers libre a tous les droits sauf le droit de n'être pas un vers. » Alors, dès ma jeunesse, je me suis posé la question : Qu'est-ce qu'un vers ? (*EJT*, 90)

Le concept de « musicisme », tel qu'il est élaboré par Royère, selon lequel l'art ne s'inspire pas d'une source divine mais se fonde sur l'expérience humaine, a dû avoir une influence profonde sur le jeune Tortel :

> La poésie est, pour nous, non du nectar mais du sang [...] Le nombre du vers [...] règle la circulation de la sève dans le liber et le bois vivants [...][10].
>
> On ne doit jamais l'oublier [...] qu'il y a antinomie entre le sentiment et l'abstraction[11].
>
> Le musicisme [...] est le sentiment de l'art infus avec la vie et, par suite, l'identification [...] de l'un et l'autre avec le langage [...] *l'art est la vie — ou le langage — parvenue à son apogée*[12].

9. Jean Tortel, *Les solutions aléatoires*, Marseille, Ryôan-ji, 1983, p. 102.
10. Jean Royère, *Le musicisme sculptural*, Paris, Albert Messein, 1933, p. 11.
11. *Ibid.*, p. 13.
12. *Ibid.*, p. 19.

> L'art est fondé sur la vie, non sur l'intelligence. [...] Satan est l'autre nom de l'Abstrait[13].

Dans *Le musicisme. Boileau, La Fontaine, Baudelaire*, Royère a proposé une histoire de la poésie s'étendant sur trois siècles et fondée sur les changements du langage figural : de la métaphore à l'euphémisme à la catachrèse : « les péripéties du langage concret qu'investit le symbolisme verbal[14] ». Pour lui, Mallarmé était le poète le plus important de son temps : « les vers de Mallarmé [...] sont une des raisons que nous ayons de vivre ! [...] Sa discipline [...] imposait à chacun le devoir d'aller jusqu'au bout de son génie[15]. »

Selon Tortel, Mallarmé a transformé de manière irrévocable les enjeux de l'écriture poétique par son traitement de l'espace pour former les vers d'« Un coup de dés » :

> [...] nous ne regardons plus le vers comme on le faisait avant l'invention du vers libre [...] car le « vers libre » est une espèce d'indétermination, depuis l'apparition du blanc mallarméen, depuis *Un coup de dés*. [...] Le vers, c'est quoi ? [...] Une espèce de combat avec le blanc ? (*EJT*, 90)

Tortel exprime le même sentiment d'obligation morale envers le dépouillement du langage, que l'on peut lire dans les écrits mallarméens sur la poésie, lorsqu'il dit vouloir « débarrasser le langage de sa suie » (*EJT*, 93), c'est-à-dire vouloir dégager l'instant de transcription contaminé par des tropes empruntés à la rhétorique, qui voilent la clarté d'un lien absolument immédiat avec le monde. Mais contrairement au blanc chez Mallarmé, les marges définissant le vers de Tortel ne symbolisent pas l'abîme qui se trouve à l'extérieur du champ du langage. Elles représentent « [l]a chose qui m'entoure » ou la chose « parfaitement réelle révélée »[16], une réalité encore à appréhender, dans l'attente de l'acte de « qualification » du poète. Son jardin n'est pas un jardin idéal. Il est « plat » et « simple » : c'est un jardin sarclé et arrosé, qui est somptueusement présent : « Ça se sarcle, se bêche et s'arrose[17] ». Il compare son écriture au « geste du paysan, du marin, de celui qui a un métier, qui façonne le bois, qui soulève un fardeau[18] ».

13. *Ibid.*, p. 25, 26.

14. *Ibid.*, p. 78. *Le musicisme. Boileau, La Fontaine, Baudelaire* parut pour la première fois en 1929, et fut repris dans *Le musicisme sculptural*. C'est cette édition que nous citons ici.

15. Jean Royère, « Au banquet de *La phalange* », *La phalange*, vol. 4, janvier-juin, 1908, p. 676 et 678.

16. Jean Tortel, *Arbitraires espaces*, Paris, Flammarion, coll. « Poésie », 1986, p. 9.

17. Henri Deluy, *loc. cit.*, p. 70.

18. Jean Tortel, *Le trottoir de trèfle*, Marseille, Ryôan-ji, 1985, p. 19. Cet ouvrage contient plusieurs articles de Tortel sur la poésie, publiés dans les *Cahiers du Sud* entre les années 1947 et 1964.

Cependant, il faudra attendre le recueil *Relations* pour que Tortel produise ses propres vers en appliquant le principe de renversement depuis l'intérieur du langage. La trace noire de chaque ligne témoigne de l'expérience de formuler son lien unique avec le jardin qu'il aperçoit de sa fenêtre :

> Le poids dont j'informe la bêche
> Et la secousse en vue d'ouvrir
> Retournent l'invisible.
>
> La terre est enfouie dans sa longue descente
> Tombeau de ce qu'elle est. Par moi,
> Friable ou pâteuse selon
> Les minéraux qui la composent
> (Ou la fumure ou la saison),
> Ouverte et révélée. (*LC*, 78)
>
> La bêche méthodique
> Tranche, éprouve, fragmente,
> Dilate en avançant le sol
> Taciturne que l'eau et l'air traverseront
>
> En vue de la métamorphose [...] (*LC*, 91)

De *Relations* à *Passés recomposés*, l'expérience de lecture des œuvres de Jean Tortel correspond à cet acte de transcription intensément sensible et réfléchi, un geste qui devient, pour le lecteur, plus exigeant et empreint d'urgence à mesure que la voix poétique devient de plus en plus « trouée » :

> Ce que je vois, où je suis.   Quelques monstres
> Apprivoisés peut-être   J'entre
> En cette matière.   Opaque mais.
>
> Grillagée.
>
> En remuant, glissant avec douceur
> Couche sur couche elle suscite
> L'inépuisable image.   Clés
> Successives   L'un ou l'autre
> Texte beaux déchiffrés.
>
> Feu ou bien feuille, fleur ou fleuve.
> Une lettre changée recommence le monde
> Exactement.
>
> Il n'est donc pas de durée.
> Ou, regardée, elle bascule

Selon le mot posé sur la balance
Ou retiré. (*LC*, 119)

Le combat du regard et de la main
Tourne autour du corps.
On ne sait lequel est obscur.

Aucune satiété possible.
Mais rupture.   L'informe verte
S'arrête en geste suspendu. Le corps
Se replie.   Un autre espace
L'a remplacé, joue et soulage
Où la raison. (*LC*, 127)

Toutefois, ce parcours de la poétique tortélienne, désormais bien connu, ne saurait être complet sans la mention d'un autre « renversement » qui s'opère au moment de la publication de *Passés recomposés*, un recueil que Tortel a écrit, selon moi, pour représenter la fin de sa vie en tant que poète. Dans un poème qui se trouve dans les dernières pages du recueil, l'auteur revient au thème de l'excavation des *Villes ouvertes*, mais cette fois, il renvoie aux souvenirs ensevelis de sa propre vie. Il resserre ainsi les pourtours de son œuvre la plus belle, la plus mûre, en se détournant du jardin situé derrière sa fenêtre afin d'exposer la part la plus enfouie de lui-même à notre regard qui, de la sorte, la déterre et la ressuscite :

Il remue pour les retrouver.

Doucement les images.

Gisantes anciennes parfois.

Défendues il arrangera.

Certaines sont vides il croit.

Reconnaître il se trompe.

D'année de chemin creux.

Ne sait plus si les gens sont morts. (*PR*, 40)

Alors que la voix poétique dans *Les villes ouvertes* emprunte le pluriel de majesté des anciens rois qui ont gouverné, dupé et jaugé le monde selon leurs propres ambitions, le poète se présente, dans *Passés recomposés*, sous la forme d'un « il » objectivé et pourtant proche de la transparence, à la manière de la vitre à travers laquelle il contemplait son jardin. Chaque ligne du texte se termine avec un point, créant une sorte d'entité achevée, complète :

C'était pourtant très clair.

Il ne regardait pas mais.

Tout était comme est la chose.

Irréfutable un oiseau.

S'immobilisait la lumière. (*PR*, 7)

Dans *Les villes ouvertes*, le poète, qui s'identifie à de nombreuses voix différentes, semble ne pas avoir encore trouvé son chemin. Comme Marco Polo (« Hommage à Marco Polo » [*LC*, 68]) ou Hérodote (« Passages d'Hérodote » [*LC*, 54]), il ne part pas pour conquérir, mais pour jauger le monde, errant loin de chez lui, « [...] mais nous, / nous fûmes apportés par le vent » (*LC*, 22), vers des lieux merveilleux, indéchiffrables, mais finalement étranges et déshumanisés :

Je mesure ma route aux astres.
Et le soleil à droite ou bien à gauche,
Je vais aussi loin que je peux.

[...]
Vers quelque horizon que j'avance
Plus loin je vais, plus sont étranges les façons,
Démesurés les animaux.
[...]
Les hommes ne sont plus les mêmes
Quand ils sont au bord d'un espace
Infranchissable. (*LC*, 54-55)

Ces images n'appartiennent pas intimement au poète, comme celles de *Passés recomposés* semblent le faire. D'ailleurs, un sentiment de sacrilège est associé à leur déterrement :

Les murs apparaîtront mais peut-être que l'eau
Suintera. Je n'ose guère
Creuser jusqu'où boivent les morts
Ni déchirer si profond cette terre
Qui sécrète des masques. (*LC*, 22)

La voix poétique des *Villes ouvertes* procède d'un sentiment puissant de vocation, mais elle ne possède pas encore les instruments pour accomplir sa mission : « Nous attendons qu'on nous apporte les outils » (*LC*, 22).

Nous saurons apprendre à construire,
À drainer la terre pourrie.
Ce sera notre lot. (*LC*, 25)

Ce qu'il apprend de ces sites autrefois importants, aujourd'hui abandonnés, est un rapport du sujet au monde qui ne sera plus le sien dans *Relations* ni dans les poèmes suivants de la maturité. À l'inverse de l'historien grec Hérodote, qui a voyagé de par le monde, Tortel restera non loin de chez lui, dans la vallée du Vaucluse qui lui était chère, à l'ombre du Mont Ventoux. À l'inverse des dictateurs impériaux romains qui ont colonisé cette partie de la France (Tortel est né près de Vaison-la-Romaine), il n'étendra pas la main pour conquérir et s'approprier le monde :

> Quoi donc ? Ne suis-je pas le maître ?
> J'ai bien le droit d'absorber l'univers.
>
> [...]
> Tout nous est apporté, les fleurs,
> Les poissons et la neige — et tous
> Les dieux utiles, à qui nous dédions
> Nos rêves moites de présages. (*LC*, 65)

Le site de son jardin poétique ne sera pas abandonné, comme les villes de « Khorsabad » (*LC*, 39-40) ou de « Scythie » (*LC*, 60-61). La terre et l'eau, figures féminines dans *Les villes ouvertes* (« L'eau que nous portons à nos bouches / Est salée. Le goût de la mer / Est celui du corps de la femme. » [*LC*, 25]), ne seront pas profanées. Sa voix poétique n'empruntera pas celle, autoritaire, du pluriel de majesté des anciens souverains, mais sera plutôt un conduit, un *sillon* pour présenter le lieu modeste de son enfance et de sa retraite, dans une vieille maison située sur le chemin des Jardins neufs, dans les environs d'Avignon :

> Irrégulier, humide et transformé
> Par les saisons,
> Feuille et feuille, les mouvements
> Sont verts des futures ombelles.
>
> [...]
> Un rectangle est choisi pour être remué.
> Le tranchant de la bêche brise
> Les mottes d'où le ver sort en spirale,
> Lent et mouillé. (*LC*, 77)

Tortel a autrefois remarqué que les poèmes de *Villes ouvertes* avaient été entièrement écrits au présent, comme s'il s'agissait de renverser la marche du temps, de « renverser le révolu dans une espèce de présent [...] comme le refus d'une "durée" historique » (*EJT*, 102). Dans *Passés recomposés*, le poète se détourne du monde extérieur au moi pour se diriger vers l'espace absent, fuyant, défigurant[19] même de la mémoire: les voix de jeunes filles revenant d'une foire[20], les prémonitions d'un feu[21], des pêcheurs remontant leurs filets[22], la plume d'un oiseau tiré dans le bois[23], de petites granges trouvées dans les champs en guise de refuges contre l'orage[24]. Ces textes sont pour la plupart écrits au temps de l'imparfait et, pour la première fois, le poète porte une attention particulière aux verbes plutôt qu'aux noms, comme pour mieux souligner cette affirmation: «Je constate [...] que la temporalité nous forge et nous limite» (*EJT*, 91).

> Cela pourrissait en bordure.
>
> D'une allée qui fut profonde.
>
> Les grands pins disparurent.
>
> Ainsi peu à peu. (*PR*, 24)

Mais alors que toute image visuelle disparaît dans l'obscurité («Plus noirs dans le soleil. / Que dans la nuit les rêves.» [*PR*, 35]), le poète transporte avec lui la lumière de sa vie d'autrefois:

> Réminiscence prolongeant son écart
>
> Reculait sans disparaître.
> [...]
> Bel imparfait vacillant. (*PR*, 49)

Un poème saisit tout particulièrement l'intensité et l'importance de cette expérience au moment où le poète pénètre la chair d'une réalité vivante, une réalité qui se révèle à lui par le toucher et l'odorat plutôt que par la vue. Le poème est à la fois un souvenir et une métaphore qui décrit la profonde sensibilité et la précision avec lesquelles Tortel pratiquait son art:

19. «Anxieuse défigurante.» (*PR*, 20)

20. «De la fête ainsi retournaient. / Quelques-uns les jeunes filles. / Étaient bruyantes leurs éclats.» (*PR*, 12)

21. «C'était sombre et les épines jaunes. / Éclataient plus haut le bois. / Étouffaient de soleil. / On craignait l'incendie.» (*PR*, 14); «Excessives les foudres d'été.» (*PR*, 24)

22. «La remontée de lourds filets. / Que les pêcheurs aux bras nus. / Tirent sur les cailloux.» (*PR*, 21)

23. «Quelque corps. / Parfois c'était le plumage. / D'un oiseau tiré dans le bois.» (*PR*, 26)

24. «Chaque champ tenait son grangeon. / Ou petite grange visible. / Du chemin posée là et fermée. / Pour y garer de l'orage.» (*PR*, 34)

Quand on ouvrait sur la rue l'étable.

Coupée soudain par la violente raie.

Ne perdait rien de son noir il entrait.

Dans l'odeur inquiétante des bêtes.

Attaché tout le jour avant.

De sortir le troupeau le chien.

Gémissait la paille alourdie.

Était un peu gluante il avançait.

Très lentement dans cette obscurité.

Tachée de jaune il respirait la laine.

Il essayait de comprendre une image.

Il entrevoyait les brebis. (*PR*, 37)

Jean Tortel insistait toujours pour rappeler qu'il n'existe aucun sujet privilégié en poésie, que cette dernière peut naître de « n'importe quoi[25] », comme il a voulu le montrer avec son traitement des dictées scolaires. Le rôle du poète est de redonner aux choses du monde leur caractère intact, de les préserver du changement et de la disparition ultime : « renverser le pommier [...] scolastique [...] c'est détruire pour retrouver un pommier à peu près intact[26] ». Dans ce poème, Tortel nous transmet l'univers de sa propre intégrité, « un instant qualifié » se trouvant de l'autre côté de l'obscurité, car, comme il le dit : « C'est quand même une merveille, le corps. Je dis que c'est un gymnaste » :

Et brusquement quelque clarté le corps
Se renversant ainsi
L'éblouissant gymnaste en creux
Compose de ses reins
La forme de sa merveille[27].

« C'est le corps qui compose lui-même sa merveille[28] ».

Traduit de l'anglais (États-Unis) par Isabelle Décarie

25. Provient du manuscrit non publié de « Entretien ».
26. *Idem.*
27. *Idem.*
28. *Idem.*

La force du regard. Présences antinomiques dans *Le discours des yeux*

MARC ANDRÉ BROUILLETTE

Après avoir fait paraître plus d'une vingtaine d'ouvrages appartenant à des genres différents (recueils de poèmes, essais et romans), Jean Tortel a publié en 1982 un essai singulier, *Le discours des yeux*[1], dans lequel il se penche sur les fondements de son écriture. Rédigé essentiellement entre 1970 et 1973, ce livre est le premier de l'auteur à exposer sous la forme de fragments en prose les composantes de sa poétique et à interroger les relations qui se tissent entre elles. Il forme en quelque sorte le premier volet d'un diptyque, que viendra compléter, deux ans plus tard, *Feuilles, tombées d'un discours* (1984). Dans ces deux essais, l'écrivain aborde les préoccupations majeures de sa poésie : la perception sensorielle, la réalité concrète des objets et la matérialité de la parole. Qualifié par la critique de « long poème en prose[2] » et reconnu comme l'« un des livres les plus audacieux qu'ait écrit Jean Tortel[3] », *Le discours des yeux* est selon son auteur un « traité du regard métaphorique[4] ». Ce texte prend place au sein d'une œuvre qui se caractérise d'abord par une grande constance des thèmes et par un rigoureux travail sur le vers, mais aussi par une volonté de réfléchir et de comprendre dont témoignent, non sans ironie, les titres *Explications ou bien regard*, « Explications

1. Jean Tortel, *Le discours des yeux*, Marseille, Ryôan-ji, 1982. Dorénavant désigné à l'aide du sigle (*DY*), suivi du numéro de la page.

2. Françoise de Laroque, « "Écriture de jardin" (comme on dit "musique de chambre") », *Action poétique. Jean Tortel*, n°s 96-97, 3e trimestre 1984, p. 80.

3. Gérard Arseguel, « Jean Tortel : le regard écrit », *Critique*, n° 426, novembre 1982, p. 980. Repris dans *Le regard écrit. Poétiques de Jean Tortel*, Marseille, André Dimanche, coll. « Ryôan-ji », 1997, p. 62.

4. Suzanne Nash, « Entretien de Jean Tortel », *Po&sie*, n° 29, 1984, p. 98.

de textes» ou encore «Didactique pas trop[5]». Animé d'un semblable souci de compréhension, je propose ici une lecture de cette œuvre dense et je souhaite étudier certaines articulations de la réflexion, qui repose notamment sur les principes de séparation et d'opposition.

La poétique tortélienne se distingue par l'omniprésence du regard qui découle de la primauté accordée au désir par l'auteur. En effet, celui-ci n'a cessé, tout au long de son œuvre, de considérer le désir comme un facteur déterminant et inaliénable de la condition individuelle. Moteur de l'existence, le désir est défini ici comme un principe dynamique central qui suscite et oriente l'activité sensorielle et affective propre à chacun. Un tel postulat renvoie simultanément au corps, à la mobilité et à l'altérité, trois notions qui trouvent un point de convergence au sein du regard. Affirmant que «le regard réside dans le désir» (*DY*, 50), Tortel souligne l'étroite interaction entre les deux termes en les inscrivant dans un rapport d'inclusion. Par ailleurs, cette poétique s'appuie aussi sur la notion de limites qui renvoie, pour le poète, au corps sensible — lui-même restreint dans sa capacité de percevoir, d'agir et de subsister dans le monde — et tout particulièrement à l'avancée rectiligne et plus ou moins parallèle des deux yeux qui captent sensiblement le monde en le découpant. Dans ses textes, Tortel associe constamment cette condition de la perception visuelle à la forme rectangulaire et à certains objets qui la matérialisent, comme le tableau, la fenêtre ou encore la page[6].

Une pensée qui se partage

Soucieux de toujours faire valoir le caractère relationnel qui détermine un objet, Tortel définit la notion de regard en s'appuyant sur un lien d'opposition entre deux composantes, le désir et les limites. La lecture du *Discours des yeux* montre d'ailleurs que la nature antinomique de ce lien est, à cet égard, tout à fait emblématique de la conception binaire et du principe de dualité qui sous-tendent de façon générale l'univers

5. Jean Tortel, *Explications ou bien regard*, Lausanne, Mermod, «Collection du Bouquet», 1960; «Explications de textes» dans *Relations*, Paris, Gallimard, 1968, p. 67-84; «Didactique pas trop» dans *Les saisons en cause*, Marseille, Ryôan-ji, 1987, p. 125-127.

6. Pour décrire la conception tortélienne du regard limité à l'intérieur d'un cadre, plusieurs critiques ont eu recours à l'idée de *templum* qui correspond, dans la tradition antique, à l'espace découpé dans le ciel à partir duquel l'augure interprétait les présages; voir entre autres Jean-Luc Steinmetz, «Un historien de l'immédiat», *Sud. Tortel*, n° 17, 4e trimestre 1975, p. 54 et Raymond Jean, *Jean Tortel*, Paris, Seghers, coll. «Poètes d'aujourd'hui», n° 247, 1984, p. 30-31.

tortélien. En effet, l'œuvre poétique et essayistique formule un rapport au monde qui s'articule sans cesse de manière dichotomique. Plusieurs aspects de ce rapport sont ainsi traités dans *Le discours des yeux*, comme la perception visuelle, qui est décrite à l'aide des notions — aux accents merleau-pontiens — de visible et d'invisible : « [nous sommes] incapables de relater les rapports du visible et de l'invisible autrement que selon la série binaire qui nous circonscrit » (*DY*, 159). En ce sens, Tortel souscrit à l'idée, issue de la phénoménologie, qu'une chose se donne toujours à voir partiellement puisqu'elle est constituée d'un indissociable revers qui en empêche la perception totale, et il fait de cette idée l'un des principaux moteurs de son écriture. Sans doute est-ce ce qui explique en partie pourquoi la vision est constamment ramenée aux conditions de lumière qui opposent le jour et la nuit, et en fonction desquelles le regard, selon l'auteur, peut ou non s'exercer : « le jour, pourtant, en tant qu'il est le paradigme du clair, est à la fois ce qui se voit, ce par quoi, où et quand on voit et à travers quoi » (*DY*, 100). Dans cette perspective, le jour est présenté comme une condition essentielle à l'exercice du regard et comme une sorte de canal visuel, contrairement à « la nuit [qui] rend le regard inutile » (*DY*, 24). Cette attention portée à la lumière suggère aussi un certain rapport au temps qui apparaît dans l'opposition entre le jour et la nuit. La journée entière, qui constitue l'une des principales unités à partir desquelles est mesurée l'expérience du temps chez Tortel, se distingue par sa durée relativement courte et son recommencement. Elle souligne l'importance accordée par l'auteur à la brièveté des choses et à leur faculté de réapparaître. En faisant notamment allusion aux saisons, les poèmes mettent souvent l'accent sur la dimension cyclique du monde extérieur.

On remarque qu'une semblable répartition antinomique est aussi présente dans le réseau de figures géométriques sur lequel s'appuie l'auteur pour développer sa réflexion. Ce réseau se répartit explicitement en deux catégories : la première regroupe les composantes linéaires — le trait, la rayure et la ligne — que Tortel associe à l'action de « déchirer », de « rayer » ce qu'il nomme « le cela d'en face » (*DY*, 28), c'est-à-dire le monde qui s'offre au regard ; la seconde réunit des composantes courbes — le méandre, la spirale et le cercle —, qui rendent compte de la dimension extérieure et totale de l'espace ou des choses : « Les paroles circulaires : comme l'espace. Elles sont peut-être l'espace, une infinité de cercles concentriques (ils s'écraseront sur nos globes jumeaux) apparus effacés dans la grande aire plurielle où nous ne pénétrons pas » (*DY*, 152). Par le biais de ce réseau géométrique binaire, qu'on retrouve aussi dans sa poésie, Tortel explicite sa position sur l'acte de perception. Considérant que sujet et monde entretiennent un incontournable rapport de face à face, le poète affirme la nécessité de rompre cette condition, qui entretient selon lui l'immobilité et l'ignorance. Il souhaite investir l'espace et pratiquer des percées au sein des objets qui sont, comme il le mentionne régulièrement, « impénétrables ». L'attrait pour les figures linéaires acérées découle de cette attitude qui mise sur la transformation des choses pour les mieux connaître.

Enfin, le discours tortélien s'appuie à maintes reprises sur « [d]eux autonomies sans doute inconciliables » (*DY*, 51) qui viennent régir le fonctionnement et le comportement de l'individu : la loi et le désir. La loi constitue ici un savoir « rassurant » ou encore l'expression de « certitudes » que le désir vient bouleverser et remettre en cause. Dans cette relation, la loi ne peut cependant totalement surmonter le désir :

> La sécurité qu'apportent les lois est donc suffisante pour que le projet ne soit pas absurde, pour qu'aussi chaque objet occupe sa place à l'intérieur de son nom. Elles sont toutefois incapables de régler la projection du désir qui veut que, précisément, cela ne tienne pas mais s'échappe de soi. (*DY*, 50)

Employant ces deux notions, Tortel examine la nécessité d'un cadre et de règles (pôle objectif), et le besoin de transgresser ce cadre (pôle subjectif). Tiraillé entre ces deux pôles, il s'intéresse, par exemple, aux lois de la perception visuelle (savoir scientifique) ou encore aux règles de la rhétorique et de la poésie classique, mais il ne souhaite aucunement y être soumis ou s'en remettre à elles de manière inconditionnelle. Au contraire, l'incursion de son désir à l'intérieur de tels cadres constitue, pour lui, l'occasion d'interroger son propre rapport à la vision, à l'écriture.

Cette forte inclination pour les structures dichotomiques pourrait laisser croire que l'œuvre renferme un sens de l'équilibre et de l'harmonie — comme on le trouve, par exemple, dans la philosophie taoïste et la poésie traditionnelle japonaise qui s'en inspire. Et pourtant ce n'est pas le cas. Chez Tortel, l'antinomie est un mode d'organisation complexe qu'« il est vain de vouloir épuiser » (*DY*, 34) et qui suscite des tensions sur divers plans. Perçue comme le principal mode de structuration globale du monde et des rapports que l'homme entretient avec celui-ci, l'antinomie est, pour le poète, partout présente. Elle renvoie à la mise en opposition des choses, à leur détermination par le biais de la lutte et de la comparaison. Elle réunit des éléments qui se frottent l'un à l'autre, s'entrechoquent et ainsi se trouvent affectés, voire transformés, par cette relation qui associe des contraires. Cette dynamique suscite cependant une « inquiétude » particulièrement grande qui se manifeste dans *Le discours des yeux* par un vocabulaire évoquant constamment l'univers de la menace, de la crainte et des rapports de force. En effet, toute la réflexion est empreinte des mots « peur », « tyrannie », « combat », « détresse », « conflit » et combien d'autres qui désignent un rapport d'affrontement et d'impuissance. À cet égard, les passages portant sur la nuit et l'obscurité, par exemple, sont très révélateurs. Comme il a été mentionné plus haut, l'exercice du regard est ici entièrement assujetti à la lumière ; par conséquent, l'absence de celle-ci prive tout sujet sensible de cette activité perceptive et fait naître « la peur » : « La vue qui paraît menacée et comme étouffée sous une espèce de taie qui la gênerait (comme si une nuit pouvait être imparfaite), n'est atteinte, avant d'être abolie par la nuit réelle, que dans le jeu mental qui ressemble fort à de la peur [...] » (*DY*, 17). Selon cette perspective, l'appréhension d'une chose conduit à envisager l'éventuel surgissement de son contraire, d'où cet état de tension qui caractérise la posture du poète et qui se situe entre apparition et disparition, naissance et mort. En réponse à cette condition, vécue de manière angoissante, Tortel accorde à l'écriture un pouvoir capable de « détruire » l'objet afin de le « révéler » — l'auteur emploie ce verbe en recourant à une forme intransitive inhabituelle. Cette destruction s'inscrit dans un processus visant à transformer la réalité matérielle de l'objet en une réalité verbale qui émane d'un sujet parlant. Le fait que cette transformation soit formulée en termes de destruction — « l'intervention verbale [...] détruit l'objet pour le transformer en sa figure » (*DY*, 30) — manifeste une attitude défensive qui trahit en quelque sorte une anxiété profonde et un terrible sentiment de danger ou de perte.

Extraction et destruction du regard

La portée de cette conception dichotomique atteint aussi la manière dont Tortel dissocie, non sans étonner, le regard et le corps. Le poète insiste à quelques reprises sur l'autonomie du regard par rapport au corps ainsi que sur l'écart qui sépare le premier du second. Bien qu'il reconnaisse certains traits qui tendent à les rapprocher, il écrit :

> Que le travail de voir bute sur l'opaque : il réclame qu'un obstacle lui soit opposé et c'est dans ce but et sur cette butée que le regard et le corps se reconnaissent ensemble. La distance qui les sépare abolie et maintenue et par conséquent le corps au cœur de lui-même, dispersé qu'il est dans l'éclatement double, le sien et celui du regard [...]. (*DY*, 16)

Dans ce passage, on constate à quel point le regard et le corps sont considérés isolément et qu'un tel postulat, reposant sur la mise à distance, favorise la comparaison entre les deux entités. De plus, les points communs identifiés par l'auteur ne sont pas, comme on pourrait s'y attendre, d'ordre physiologique ou sensoriel, mais plutôt d'ordre structural : la notion d'obstacle apparaît ici comme un déclencheur et un révélateur de l'activité perceptive ; la dispersion et l'éclatement, comme une condition ou un état venant accentuer la disjonction entre ces deux éléments. Ailleurs dans le texte, Tortel souligne autrement l'autonomie du regard : « mon regard s'échappe de soi en vue d'avancer dans la distance (l'œil fait office de main) jusqu'à la chose éloignée sur l'opaque de laquelle il s'écrasera » (*DY*, 120)[7]. Ces deux exemples montrent bien qu'un tel procédé de distinction et de comparaison permet de mieux hiérarchiser les composantes et, dans le cas présent, de mettre en valeur le rôle prépondérant accordé au regard. Au fil de la réflexion tortélienne, le regard se différencie du corps par le biais notamment d'une puissance, d'une agilité et d'un caractère incisif qui le propulsent en dehors du corps pour l'emmener au-devant du monde. Ces qualités se matérialisent, entre autres, dans la figure du couteau — objet tranchant, mais aussi arme blanche — que le poète emploie à propos du regard et qui désigne un indéniable rapport de force : « le corps est ainsi qu'il attend le tremblant couteau du regard » (*DY*, 97)[8]. Le regard affiche ici une supériorité qui vient en effet contraster avec la passivité attribuée au corps qui « attend ».

Tortel maintient la primauté du regard lorsqu'il aborde la relation entre la vision et l'écriture. Même s'il emprunte à Maurice Scève la notion de « discours des yeux », qui suggère un rapport entrelacé, l'auteur met à distance l'une de l'autre les deux composantes réunies dans l'expression. Il soutient que la perception visuelle est antérieure à la parole et, par conséquent, il inscrit ces deux activités au sein d'un rapport de succession :

> Sans doute l'origine de l'interrogation recule sans cesse, au fond de quelque innommable et c'est une espèce de coup de force qui décrète que le regard (incluse la valeur métonymique du terme) est le commencement, cette rupture. Quoiqu'il en soit [*sic*], antérieur à toute formulation interrogative, il la présente déjà. Il l'annonce, la présuppose, l'a déjà formée dans son espace

7. On remarque ici que le vocabulaire évoque la fuite (« s'échappe de soi ») et l'incident tragique (« s'écrasera »), ce qui participe de l'univers de la destruction.

8. Dans un autre passage, l'auteur reprend la figure du couteau et en exploite la dimension transgressive. Il écrit : « le regard reste ce couteau désirant et [...] toute lame criminelle est interrogation » (*DY*, 51).

> qui n'est plus celui du silence ni celui de la nuit et qui se transforme en espace parlé dans l'intervalle non mesurable qui le sépare de l'objet-corps. Il y a prise de possession préalable, à la fois éclatante et souterraine, de l'objet : maléfique en un sens, avant que fuse longtemps gonflée, la question. (*DY*, 22-23)

Cette répartition dans le temps crée un ordre, un déroulement, mais indique aussi une relation de cause à effet qui peut paraître paradoxale dans le cadre d'une réflexion qui laisse entendre un entrelacement étroit du regard et de la parole. Présenté ici comme « l'origine » de la parole, le regard n'acquiert cette fonction première que par l'intermédiaire d'un « coup de force », lequel impose en quelque sorte ce statut. Face à un tel postulat, on peut se demander quel est l'apport de la parole dans la constitution du sens. En effet, si le regard « prend possession » de l'objet et qu'il « forme » la parole, comme l'expose Tortel, cela suppose-t-il que celle-ci ne fait que convertir verbalement un sens déjà déterminé par le regard ? Sans pouvoir répondre catégoriquement, on constate cependant que cette relation se fonde toujours sur une domination du regard sur la parole (primauté dans le temps[9] et appropriation de l'objet) qui confère parfois à celle-ci une dimension subalterne, et ce, malgré toute l'importance accordée au langage et à l'écriture dans cette réflexion. L'idée que le sens serait formé principalement par l'action du regard s'oppose d'une certaine façon à la pensée phénoménologique d'un Merleau-Ponty — avec laquelle l'œuvre de Tortel entretient pourtant d'évidentes affinités, puisque toutes deux accordent une grande importance au corps et à la perception sensorielle —, qui affirme à l'égard de la parole :

> le sens est pris dans la parole et la parole est l'existence extérieure du sens [...]. Il faut que, d'une manière ou de l'autre, le mot et la parole cessent d'être une manière de désigner l'objet ou la pensée, pour devenir la présence de cette pensée dans le monde sensible, et, non pas son vêtement, mais son emblème ou son corps[10].

Pour Merleau-Ponty, la parole doit incarner — au sens de « représenter sous une forme matérielle et sensible » (*Nouveau Petit Robert*) — la pensée ; chez Tortel, c'est le regard qui est associé à un corps : « Je ne sais s'il est possible d'écrire que la visibilité est un corps. Si c'est acceptable ou.

9. Cette antériorité du regard par rapport à la parole est notamment soulignée dans cet autre passage : « Avant toute écriture, et déjà : les relations s'établissent. [...] Ainsi (avant toute écriture) le cela d'en face ou l'objet calme, est déjà détérioré par l'action interrogatrice du regard [...] » (*DY*, 28).

10. Maurice Merleau-Ponty, *Phénoménologie de la perception*, Paris, Gallimard, coll. « Bibliothèque des idées », 1945, p. 212.

Mais. Bien que ce soit abstrait, oui, elle contient quelque chose de corporel» (*DY*, 17). Ce «quelque chose de corporel» découle notamment de l'autonomie du regard et de la manière dont celui-ci «intervient». Le regard constitue ici une entité propre qui se compare au corps au point d'en devenir un véritablement : «s'accrochant aux angles, la vue reprend corps (reprend le corps)» (*DY*, 117). Par une telle incarnation, le discours tortélien tend à instaurer, entre le regard et le corps, un rapport de dépendance et de succession[11].

La réflexion proposée dans *Le discours des yeux* montre que Tortel conçoit sa démarche créatrice en fonction des étapes qui la composent et qui forment un parcours. L'action du regard se révélant la première phase de ce processus — et, dans l'esprit de son auteur, la plus déterminante —, la suivante consiste en l'action de la parole qui conserve ici l'esprit d'opposition avec lequel les éléments entrent en relation et qui se retourne contre le regard afin de le «détruire» à son tour. Après une première destruction de l'objet par le regard surgit celle du regard par la parole :

> Mais nul arbre, ici deux platanes taillés d'ailleurs plutôt en largeur qu'en hauteur — et déjà l'objet *arbre* est en cours de destruction quand il est qualifié *platane*, ne peut être plus haut que haut. [...] Dire l'arbre haut c'est : ne pas dire le reste. C'est oublier ce qui le concerne, la hauteur exceptée, détruire la totalité que le regard avait amenée jusqu'ici pour que ce dire la double en s'engendrant ; [...] c'est que le dire fragmente l'objet en énoncés inconciliables devant un regard impuissant, qui abandonne la place [...]. L'espace fragmenté par les objets, l'objet fragmenté par le dire, les yeux ne savent pas où commence, ou finira leur discours. (*DY*, 42)

Le propre de la démarche tortélienne est de s'appuyer sur une succession de transformations — que le poète désigne à sa façon par le terme «destructions» — par le biais de laquelle le sujet sensible et parlant s'approprie graduellement et partiellement le monde extérieur. Comme on peut l'observer dans l'extrait cité, les «destructions» procèdent par fragmentation, retranchement et élimination. Détruire par la parole signifie ici rompre l'illusion de «totalité» que peut, malgré les limites du champ de vision, créer le regard. Selon cette perspective, la parole découpe et décompose avec des mots l'objet qui a été transformé une

11. Cet autre passage confirme la nature de ce rapport : «Mais encore, et d'autre part : on posa ce discours [des yeux] comme se produisant avant toute écriture. Il semble bien en effet, que l'intervention de celle-ci est encore à venir, que son espace est vide et le papier blanc quand se poursuit le discours composé de regards posés dans le pseudo-silence de l'interrogation. De ce qui se passe (tentative de pénétrer) pendant que le regard et l'objet se confrontent, l'écriture ne sera que la ph(r)ase future [...]» (*DY*, 139).

première fois par le regard. Cette seconde transformation — que Tortel nomme le « renversement » par la parole — « acquiert ainsi une autonomie surprenante » (*DY*, 54) qui a pour effet de repousser le regard et de faire apparaître l'objet autrement. L'action du renversement suscite la disparition de l'objet et sa réapparition en un objet d'écriture, comme le souligne l'auteur : « l'écriture, dès qu'elle apparaît, se charge de l'objet en lui imposant sa propre condition d'être, elle l'arrache de soi et l'absorbe. Aussitôt qu'il est devenu sien — non plus objet mais objet d'écriture, celui qu'elle qualifie n'est plus lui » (*DY*, 28-29). À l'intérieur d'un tel système, l'idée de destruction ne vise jamais à un anéantissement total de l'objet, mais à un processus de transformation dont la force et la puissance réimposent un nouvel objet, distinct de ce qu'il était précédemment. L'univers belliqueux, qui marque de manière constante la formulation de ce processus, vient soutenir en quelque sorte l'action, l'autonomie et la singularité qui contribuent à susciter « l'éclatement » tant recherché par Tortel. La « qualification » — autre nom donné par l'auteur pour désigner l'écriture — procède à cet éclatement en faisant surgir différentes qualités qui viennent scinder, fragmenter, altérer l'objet[12]. Loin de renvoyer à un discours valorisant le chaos, la notion de qualification est définie ici, au contraire, comme une action permettant d'« imposer son propre ordre : qui dérangera l'objet » (*DY*, 13) — non sans une certaine autorité, semble-t-il. Cet ordre, qui constitue l'expression d'un sujet, est indissociable du phénomène de la destruction. Tous deux entretiennent une relation antinomique par le biais de laquelle le poète caractérise le rapport du sujet au langage.

Cette franche distinction entre l'action du regard et celle de la parole se répercute aussi dans la manière de concevoir deux types d'espace : le premier correspond à celui du monde extérieur comportant les objets qui seront éventuellement saisis à l'intérieur des limites du regard ; le second, à « l'espace de la figuration ». Chacun de ces espaces est toujours exprimé de manière séparée et ne semble jamais faire l'objet d'aucun recoupement avec l'autre. Tous deux sont cependant liés entre eux par le mouvement de transfert qui s'opère d'un lieu à un autre : « un objet [...] s'ouvre pour se laisser voir et [...], dès cet instant est hors de son lieu propre, projeté dans celui du dire ; détourné par et dans le dire » (*DY*, 29). Comme le mentionne cet extrait, le passage d'un espace à l'autre s'effectue toujours dans la même direction (c'est-à-dire de « l'espace circulaire » à « l'espace de la figuration ») et ce mouvement

12. Chez Tortel, ces qualités surgissent notamment par le biais d'un important travail syntaxique qui vient constamment casser la phrase ou le vers.

apparaît irréversible (une fois projeté dans l'espace de la parole, l'objet ne retourne jamais dans l'espace précédent). Selon Tortel, la parole, au moment de son surgissement, ne laisse aucune possibilité de retour en arrière : « une phrase qualifiante fabriquera, pour l'occuper tout entier, un espace nouveau que nous ne soupçonnions pas » (*DY*, 134). Cet espace — nommé aussi « espace autre » ou « deuxième espace » — prend place dans une dynamique faisant écho à l'idée de succession qui a été traitée plus haut. Il est présenté comme une solution de rechange à l'espace du regard et comme le lieu où la parole, par le biais de la qualification, procède à une différenciation de l'objet, à son retrait de l'anonymat.

Au sortir de cet essai, le lecteur retient sans nul doute l'importance de la tension, perçue par Tortel à la fois comme un mode de relation originel et comme un facteur de transformation. Présente tout au long de la réflexion par l'intermédiaire des univers de l'opposition, de l'agression et de la « destruction », cette tension induit une pensée qui s'avère grandement marquée par des modalités binaires et antinomiques. Cette influence n'a pas pour effet d'éluder la complexité des choses et du sens, mais d'en dégager des pôles « élémentaires » — pour employer l'un des titres de Tortel. Chez lui, il semble que ce soit au prix d'une telle polarisation que le sujet puisse prendre part au monde extérieur et que sa parole puisse intervenir auprès de l'objet afin d'y inscrire la présence du sujet. Par ailleurs, il demeure un certain paradoxe — ou du moins une étrangeté — dans la manière dont l'auteur s'appuie sur l'univers de la perception, mais pour en écarter constamment le caractère entrelacé au profit d'une séparation et d'une hiérarchisation des sens. Privilégiant l'opposition et la scission (*cf.* la figure du couteau), Tortel s'emploie à déjouer toute illusion de totalité que peuvent dégager, à des échelles différentes, le monde ou un simple objet. Cette méfiance à l'égard d'une telle illusion engage le poète dans un combat aux accents primitifs, tant il se dégage ici « une dramaturgie archaïque et sacrificielle[13] ». Mais au-delà de ce combat demeure la parole que l'auteur investit, pourrait-on dire, plus que tout par le biais de ses textes. C'est elle, finalement, qui élabore cette dramaturgie et qui fait en sorte que « toute composition réimpose le présent en équivalences entre l'étonnement et l'oubli et que par conséquent il n'y a[it] plus de durée » (*DY*, 115). À cet égard, *Le discours des yeux* est un véritable essai dramaturgique, puisqu'il développe et structure de manière originale une réflexion portant sur la tension qui surgit entre un sujet et un objet, un auteur et son écriture.

13. Gérard Arseguel, *loc. cit.*, p. 979 ; *op. cit.*, p. 61.

« L'intérieur est le lieu ». Poésie / endoscopie

CATHERINE SOULIER

S'efforçant, au cours d'un entretien « sauvage » avec Jean Tortel, de cerner les composantes de l'univers imaginaire de ce poète, Liliane Giraudon propose de retenir dans son vocabulaire les mots suivants : limites, définition, paysage, jalon, corps, lyrisme, ligne, tombe, terrasse, ouvrir et tracer. Dans le commentaire qu'il fait de ce choix, Tortel souligne, outre la pertinence globale de la sélection, « une espèce de cohérence » : tous les termes de ce *corpus* « tournent », selon lui, « autour du mot corps — sauf lyrisme qui ne [lui] paraît pas faire *corps* avec les autres[1] ». De fait, bien des critiques l'ont remarqué, la notion de « corps » est essentielle dans la poésie et la poétique tortéliennes. Le substantif « corps » y prend, d'ordinaire, un sens très large : il désigne tout objet saisi par un regard désirant, ou, pour reprendre la définition qui surgit dans l'un des poèmes du recueil *Des corps attaqués*[2],

> (Objet : ce qui est
> Placé devant ce qui
> Affecte les sens
> Les provoque ce qui se montre
> Corps objet du désir)

Qu'il s'agisse du corps végétal — platane, cerisier, tulipe — ou du corps féminin lié au précédent par de multiples correspondances, le

1. Liliane Giraudon, « 4e entretien : interview sauvage », *Espaces et déplacements corporels dans l'écriture de Jean Tortel*, thèse, Aix-en-Provence, 1976, p. 79.

2. Jean Tortel, *Des corps attaqués*, Paris, Flammarion, coll. « Poésie », 1979, p. 142. Dorénavant désigné à l'aide du sigle (*CA*), suivi du numéro de la page.

corps est donc avant tout corps étranger, offert à la saisie d'un sujet qui le renversera sur la page pour en faire un nouveau corps : le corps verbal.

Toutefois, s'il privilégie le corps-objet, le poème tortélien n'évacue pas pour autant le corps propre, le seul qui ne puisse être là devant, le corps vécu, lieu de la sensation, instrument de la perception, point à partir duquel s'appréhende et s'organise l'espace. Le corps dans son articulation au monde. Celui que Merleau-Ponty définit comme « un entrelacs de vision et de mouvement[3] ». Et dont un vers de Théophile de Viau particulièrement cher à Tortel : « Nous avons des yeux et des mains[4] » pourrait indiquer les composantes privilégiées. Il y a la main, organe du toucher, dans son rapport à la peau de l'autre corps, celui, unique, de l'aimée ; par exemple quand le sujet lyrique affirme, dans l'un des tout premiers recueils, où ne se font pas encore entendre les accents les plus personnels :

> Je prendrai [...]
> [...] dans mes mains tes seins, comme l'argile du potier
> Résistante et nourrie d'amandes, d'huile et de lait[5]

Mais ce qui fait l'objet de l'examen le plus insistant, ce sont les rapports qu'elle entretient avec d'une part la terre et les végétaux du jardin, d'autre part la feuille de papier où s'écrit le poème. La main du jardinier apparaît dans de nombreux recueils :

> [...] mains raides
> D'avoir tordu trop de branches
> Et fait des feux[6]

mains à

> La peau [...] verdi[e]
> Par les herbes [...]
> [...]
> Lieu des entailles et de quelques épines[7]

3. Maurice Merleau-Ponty, *L'œil et l'esprit*, Paris, Gallimard, coll. « Folio essais », 1998 [1964], p. 16.

4. Jean Tortel le cite par exemple dans *Feuilles, tombées d'un discours*, Marseille, Ryôan-ji, 1984, p. 92 (dorénavant désigné à l'aide du sigle *FTD*, suivi du numéro de la page) ; dans *Un certain XVII*e, Marseille, André Dimanche, coll. « Ryôan-ji », 1994, p. 184 ; et dans *Ratures des jours*, Marseille, André Dimanche, coll. « Ryôan-ji », 1994, p. 127 (dorénavant désigné à l'aide du sigle *RJ*, suivi du numéro de la page).

5. Jean Tortel, « La danseuse », dans *Votre future image*, Paris, H. P. Livet, 1938, p. 39.

6. *Explications ou bien regard*, Lausanne, Mermod, « Collection du Bouquet », 1960, p. 51.

7. Jean Tortel, *Les saisons en cause*, Marseille, Ryôan-ji, 1987, p. 19.

Quant à la main de l'écrivain, « main posée » qui « abandonne en ce moment la plume[8] » ou « main diligente » qui « [t]raverse à rebours le rectangle / Et recommence vers la droite », « main [qui] suait » et dont la « peau moitit le papier[9] », elle est omniprésente dans cette poésie si volontiers métapoétique qui ne cesse de s'interroger sur le renversement de l'image en figure, sur la nature du vers, sur les relations de ce corps noir avec l'espace blanc où il s'inscrit.

Reste que, si présente soit-elle, la main n'est pour Jean Tortel, dont on a souvent dit, et fort justement, qu'il était avant tout le poète du regard, qu'« une espèce d'œil aveugle, tâtonnant (dans l'herbe ou le linge) » (*RJ*, 113), un relais ou un substitut de l'organe de la vue. Et c'est bien ce dernier qui requiert de livre en livre l'attention la plus aiguë, la plus alertée.

Or vient un temps où l'œil gauche « ne voit / Rien de ce qu'il regarde » (*CA*, 45) ou, plus exactement, voit mal le là-devant. La tache qui le marque, « soleil noir / Mais dérisoire » (*CA*, 49), éclaire de sa lumière paradoxale une singulière expérience visuelle : alors que l'œil ne peut se voir lui-même sans le secours du miroir, la tache est « vue elle-même par l'œil qui la contient » (*RJ*, 234) ; elle n'est visible pour soi que si l'œil droit — l'œil valide — est fermé. Ainsi offre-t-elle au sujet percevant l'étrange sensation de voir quelque chose de soi en deçà de la surface corporelle — ici oculaire. Comme si elle faisait trou, invitant le regard à se renverser, c'est-à-dire à délaisser le là-devant, vers lequel il est contraint de se tourner par la configuration anatomique de l'œil, pour plonger là-dedans et aller voir ce qui s'y trame. D'autant qu'à la tache de l'œil s'ajoute la « spirale interne » de l'ulcère gastrique, sorte de vortex de douleur qui, de spire en spire, attire irrésistiblement vers des profondeurs organiques sans cesse reculées. Comment ne pas être tenté de saisir ce qui se passe dans cette intimité corporelle où se prépare l'inévitable dénouement, toujours de l'ordre « du relâchement, de la défaite, de la crevaison ? » (*RJ*, 125)

Certains poèmes vont alors s'attacher à d'autres lieux du corps que ceux qu'avaient élus les recueils antérieurs. Délaissant la main et les yeux qui maintenaient l'observateur à sa propre surface, ils vont chercher à explorer le corps profond, à saisir les « échanges / De viscère à

8. Jean Tortel, *Élémentaires*, Lausanne, Mermod, « Collection du Bouquet », 1961, p. 38 ; repris dans *Limites du regard*, Paris, Gallimard, 1971, p. 40. Dorénavant désigné à l'aide du sigle (*É*), suivi du numéro de la page.

9. Jean Tortel, « Vers », *Les solutions aléatoires*, Marseille, Ryôan-ji, 1983, p. 102, p. 88, p. 100 et p. 110. Dorénavant désigné à l'aide du sigle (*SA*), suivi du numéro de la page.

viscère », la circulation des « sucs / Dans l'arbre relié » (*CA*, 28). Deux textes majeurs témoignent de cet effort : « Spirale interne », publié pour la première fois en 1977 aux éditions Orange Export Ltd., puis repris et augmenté pour être inséré dans le recueil de 1979, *Des corps attaqués*, et « La boîte noire », paru en 1983 dans *Les solutions aléatoires*. Dans ces deux suites[10], « l'intérieur est le lieu » (*SA*, 25). Jean Tortel s'y propose de voir à l'intérieur de son propre corps, là donc où l'œil est physiologiquement incapable d'exercer sa fonction sinon à l'aide d'un appareillage technique d'une grande complexité : la poésie se veut, à proprement parler, endoscopie. Le travail d'écriture ne peut donc plus se penser comme pur renversement de l'image optique dans la figure. Puisqu'il s'agit de faire accéder à l'ordre du visible ce qui de soi est invisible, la figuration se fait élaboration de virtualités d'images à partir de matériaux divers qui peuvent être de l'ordre de la sensation non visuelle — notamment tactile et gustative — ou de l'ordre d'un savoir objectif croisant lui-même les apports de la vue — celle par exemple de planches d'anatomies ou de schémas scientifiques — et les souvenirs de lectures. Images qui n'ont d'existence que dans l'endoscope du poème, où elles se forment volontiers à « la lumière réfléchie de la métaphore[11] ».

Enfoncement imaginaire à l'intérieur de la cavité abdominale, « Spirale interne » part de l'éprouvé immédiat, du senti. Alors que le corps de surface, enclos dans ses « [i]nsolentes limites » de peau, se définit en termes de « précis[ion], étroit[esse] et pur[eté] » (*É*, 25), le corps profond, qui, dans l'oubli de son enveloppe cutanée, échappe à toute limitation, se conçoit comme une liquidité obscure, parcourue d'une sorte de houle :

> [...]   montent
> Les viscères [...] (*CA*, 37)
>
> Toute secousse annonce
> L'autre qui dérive [...] (*CA*, 38)
>
> Remue
> De bas en haut. (*CA*, 39)

10. J'entends ici « suite » au sens que Jean Tortel donne à ce terme dans son étude sur Guillevic, c'est-à-dire « une organisation complexe de poèmes brefs qui se répondent, unités à l'intérieur d'un ensemble » (*Guillevic*, Paris, Seghers, coll. « Poètes d'aujourd'hui », n° 44, 1990 [1954], p. 75).

11. La formule est empruntée par Jean Tortel à Diderot. Elle est citée dans *Le discours des yeux*, Marseille, Ryôan-ji, 1982, p. 31.

Cette eau noire s'étend autour d'un foyer de douleur rayonnant : l'ulcère dont l'attaque se traduit par les métaphores conjuguées de la blessure — ou de l'entaille — et de la brûlure. Il est « pareil / À la brûlante plaque au sol » ; il « [é]chancr[e] le sommeil » (*CA*, 35) ; il est « brûlure de l'entaille / Interne étincelante » (*CA*, 42).

En 1983, « La boîte noire » propose du corps organique une approche plus intellectuelle. Peut-être parce qu'il n'y est plus question du « ventre », cruellement foré par l'ulcère, mais du cerveau — ou de l'encéphale — enfermé dans la boîte crânienne. Le corps profond n'y est plus un donné sensible, c'est-à-dire une confuse sensation de fluidité ignée ; il n'est pas éprouvé — comment le cerveau pourrait-il l'être, lui que nul ne sent comme un organe sien ? — mais pensé. Pensé par le sujet comme ce qui de soi est à soi-même inconnu, le « noir » mentionné dans le titre désignant le mystère de la « boîte » osseuse « qu'aucun regard ne pénétra jamais » (*FTD*, 40). « Je ne sais pas » (*SA*, 133, 136) répète d'ailleurs, dans le corps du poème, un sujet qui, dépourvu de toute formation solide dans le domaine des neurosciences — et même, plus largement, de toute vraie formation scientifique —, ne dispose que de bribes de savoir pour appréhender le fonctionnement de ce qu'il conçoit comme une machinerie complexe. La notion de machinerie cérébrale s'impose dès le titre : « La boîte noire ». On connaît, d'ordinaire, l'emploi de cette expression dans le domaine de l'aéronautique où elle désigne l'appareil qui enregistre tous les paramètres de commande de l'avion et toutes les communications entre le pilote et les stations au sol. Peut-être faut-il plutôt penser ici que la « boîte noire » est un concept scientifique : paradigme explicatif opposé à celui de la « boîte transparente », la « boîte noire » suppose que n'est connu d'un système que ce qui y entre et ce qui en sort ; ce qui se passe à l'intérieur est inconnu, donc invisible, comme si les parois de la boîte étaient opaques[12]. Le concept de « boîte noire » est utilisé notamment dans le domaine de l'électronique. Or, les différents poèmes de la suite identifient la machinerie cérébrale à un ensemble de circuits électriques ou électroniques quand ils mentionnent les « fils » qui « informent en chaîne », le « réseau » qui « enregistre », les « filaments », les « nœuds », le « code », les « lignes », la « masse », les

12. On sait que la notion de « boîte noire » a été utilisée dans le domaine de la psychologie scientifique. Le système nerveux présente en effet les mêmes particularités : il possède des récepteurs sensoriels en guise d'entrées et des effecteurs moteurs en guise de sorties ; le système nerveux central fait quant à lui figure de « boîte noire ». Les behavioristes en particulier ont eu recours à la notion de « black box » : la position du « black box » impose de se limiter à l'observation de ce qu'on constate en amont et en aval et de ne pas se préoccuper de ce qui se passe dans le système nerveux central.

« étincelants signaux » et le « faux contact » ; autant de termes qui appartiennent au lexique de l'électricité (entendue dans son acception la plus large, incluant en elle les sciences connexes, électronique et électrotechnique). Quant au substantif « programme », il nous renvoie d'une part au domaine de l'informatique, d'autre part à la génétique, et, par son intermédiaire, aux sciences du vivant. D'autres éléments lexicaux orientent plutôt vers le savoir de l'anatomie et de la biologie : les « méandres / Involutés », les « canaux », les « valves », les « ligaments », les « plaquettes » manifestent l'existence de connaissances anatomiques élémentaires, tandis que l'évocation des « cellules » et du « phosphore » suppose quelque teinture de biologie et biochimie. Mosaïque d'emprunts donc. Tous relevant du savoir scientifique et tous insuffisants pour assurer au sujet une posture de maîtrise face à l'objet qu'il s'est choisi. Rendant plus incertaine donc toute représentation.

Lacunaires et superficielles, les diverses connaissances scientifiques sont aussi — surtout — difficiles à raccorder avec l'expérience intime de l'activité cérébrale. Comment ajointer le savoir objectif — celui de l'anatomie, de la biologie, de l'électronique etc. — et l'éprouvé subjectif ? Comment faire coïncider ces phénomènes de circulation sanguine ou électrique, d'échanges « cellulaires » avec ma pensée, ma remémoration, ma jouissance ? Entre les deux domaines — celui du savoir et celui du vécu immédiat — la discontinuité paraît radicale.

Aussi les hypothétiques images endoscopiques que construit le sujet n'ont-elles pas dans « La boîte noire » la fonction qui est la leur dans « Spirale interne ». Dans l'ensemble de 1979, il s'agit de trouver un équivalent plastique et pictural de la sensation éprouvée, c'est-à-dire de donner forme à l'informe du pur sentir. Quand l'ulcère gastrique devient le « trou aux lèvres rouges / (Probablement) » (*CA*, 36) ou la « spirale / Peut-être [...] rouge » (*CA*, 37), la métaphore constitue bien une transposition visuelle de la sensation. Quoique le substantif « lèvres », qui s'utilise pour désigner les bords d'une plaie, convienne parfaitement, s'agissant de l'ulcère dont la médecine nous apprend qu'il est une sorte de blessure spontanée, son emploi n'est pas en effet dicté par un simple souci de précision lexicale. En imposant l'image d'une bouche, il manifeste le désir de projeter en imagination dans l'espace du visible la sensation qu'a le sujet d'être rongé par une « dent » ou râpé par une « rugueuse langue » (*CA*, 36). Quant à la « spirale », dans l'incertitude de son orientation, évolution à partir du centre ou involution vers lui, elle peut apparaître comme la figuration graphique d'un sentir contradictoire et confus : la douleur, étrangère à la logique et ignorant le principe de non-contradiction, s'éprouve à la fois dans sa diffusion centrifuge — les ondes de souffrance vont s'élargissant à partir du point central de l'ulcère — et dans son resserrement centripète — l'ulcère-vortex ouvre dans les entrailles un abîme vers lequel paraît glisser tout l'univers intérieur.

Dans « La boîte noire », où le corps organique, sous les espèces du cerveau, ne s'impose plus dans une immédiateté et une globalité sensibles mais oppose au sujet l'énigme d'une machinerie dont le fonctionnement conditionne la pensée, la sensation et le mouvement, les images endoscopiques ne sauraient s'identifier aux équivalents visuels d'un éprouvé premier. Plus nombreuses que ne l'étaient celles du ventre troué par l'ulcère, et dotées par la prolifération des tournures modalisantes d'un caractère hypothétique encore plus marqué, elles ne donnent que rarement à voir la boîte crânienne mise à nu par une sorte de dissection scripturale : « [v]oûtée lisse » (*SA*, 119), « [a]rrondi[e] en voûte » (*SA*, 125), avec ses « os incurvés / (Finement engrenés entre eux) » (*SA*, 123). Les visions sont avant tout celles du cerveau, « masse palpitante et rose / Médullaire emboîtée » (*SA*, 126) :

> [...] Un peu mou
> (Sans doute)
> Un peu gluant de tant d'images
> De partout venues.
>
> Se concentrent
> Là dedans à l'étroit
> Rosâtres dans les canaux. (*SA*, 121)
>
> Une espèce de gisement
> En apparence un tas
> Qui palpite et qui suinte [...] (*SA*, 123)
>
> [Ça] doit remuer un peu
> S'agglomérer c'est mou
> Humide la boîte
> N'est peut-être pas pleine
> Tout à fait [...] (*SA*, 125)

Comme les mouvements internes — remuements des « circulantes cellules » (*SA*, 133), « battements » (*SA*, 122), palpitation, gonflement, suintement — sont imperceptibles, il n'est plus question de chercher à figurer plastiquement l'infigurable de la sensation. Ce qui se donne à lire est plutôt une tentative du sujet pour s'incorporer — au sens propre du terme — des images élaborées à partir de ses souvenirs de descriptions scientifiques et de planches d'anatomie. La reformulation poétique, si elle n'est qu'approximation au regard du discours scientifique, permet au sujet (qui, même lorsqu'il est absent en tant que personne grammaticale, est présent par le jeu des modalisateurs) de rapprocher de soi l'image impersonnelle donnée par les sciences : souligner l'aspect gluant, l'humidité du cerveau, parler d'« étoupe » ou de « soies [...] poisseuses », c'est tenter de décaper verbalement l'image de son glacis photographique, tenter de lui conférer un certain degré de présence sensible. Et faire de l'amas cellulaire « [u]ne espèce de gisement / [...] un tas / Qui palpite » (*SA*, 123), évoquer « quelque rhizome / Iris secret [...] » (*SA*, 126), comparer la « sphère » cérébrale à un « rougeoyant foyer » (*SA*, 132) n'est-ce pas emprunter à l'univers familier du jardin de quoi construire du cerveau une image moins neutre, davantage sienne ? Une image qui ne soit plus celle *du* cerveau humain mais celle de *ce* cerveau en moi.

Cet effort pour se représenter le cerveau non point tel qu'il est sur une planche d'anatomie ou sur une table de dissection, c'est-à-dire comme un objet distinct de soi, mais à l'intérieur de la boîte dure dont la main peut, en expérimentant ses contours, permettre l'appropriation, cette entreprise endoscopique, qui est désir de voir les altérations provoquées en soi par l'exercice de la pensée — et tout spécialement par l'acte d'écriture — ou par la jouissance sexuelle, conduit irrésistiblement le sujet à poser (se poser) la question de son identité.

Centrale dans « La boîte noire », cette question n'y surgit pourtant pas comme une absolue nouveauté dans la poésie de Tortel. Si, depuis *Paroles du poème* (1946), la question du « je » est essentiellement celle du sujet lyrique, celle du « qui parle dans le poème ? », il arrive que telle suite (« La figure », *É*, 33-53), organisée autour d'un mallarméen miroir, rende l'interrogation sur soi plus ambiguë et interdise de la limiter au seul domaine scriptural ; ou qu'un ensemble consacré à l'orage, figure redoutable de l'inhumain, confronte le sujet à sa provisoire dissolution quand, aveuglé et condamné au bégaiement, voire à la mutité, il ne peut que se demander :

> Pendant ce temps
> Où suis-je ? [...][13]

et se « tât[er] en vain »,

> Chose qui se dérobe
> Dans le délire martelé
> Par l'eau[14]

13. Jean Tortel, *Relations*, Paris, Gallimard, 1968, p. 41.
14. *Ibid.*, p. 45.

Une telle dérobade de soi n'est pas absente de la suite « Spirale interne ». Dans cette série, comme souvent dans l'œuvre de Jean Tortel, l'instance d'énonciation est anonyme. On est dans le registre du « il y a », du « c'est » ; disons dans le registre de la constatation, voire du constat. Effaçant non seulement le « je » qui identifierait le sujet de l'énonciation et le sujet de l'énoncé mais même tout pronom, fût-ce un « tu » ou un « il », qui assurerait l'existence d'une personne — humaine autant que grammaticale —, les poèmes défont l'unité du souffrant dont la présence ne transparaît plus qu'à travers une gamme de symptômes : « secousse annon[çant] / L'autre qui dérive en attendant / Que l'eau trouve la bouche », « hoquet », « dégorgement », « vomi[ssement] », ou au travers d'interrogations et de souhaits significativement formulés à l'infinitif, donc au moyen d'une forme qui échappe aux catégories de la personne :

> Savoir si
> Les muqueuses rougissent
> Cependant que
> Mauve et vomi. (*CA*, 40)
>
> Crever cela
> Dissoudre quelque chose
> Qui dedans   arrêter
> Le creusement. (*CA*, 41)

De ce fait, quelque connus que soient la méfiance de Tortel envers l'épanchement romantique et son désir de lutter contre le vibrato et le pathos favorisés par le lyrisme personnel — au moins depuis le recueil de 1965, *Les villes ouvertes* —, l'évacuation de la première personne du singulier ne peut être ramenée au seul refus de l'imposture lyrique. « Spirale interne » porte la trace d'une expérience intime qui est celle d'une dépersonnalisation par la douleur physique : quand celle-ci s'impose au point que le sujet est contraint de faire corps avec elle, quand elle réduit tout le corps à s'éprouver du dedans comme un mouvement spiralé aimanté par l'ulcère, quand, à la limite, elle l'oblige à se sentir tout entier l'ulcère, comment le sujet pourrait-il dire « je », lui qui ne se distingue plus de la béance ouverte en lui par la blessure ? Comment pourrait-il même parler ?

> Soleil et silence à qui
> A mal [...] (*CA*, 35)

Tel est l'*incipit* du tout premier poème. Non seulement ces vers affirment — sans toutefois l'expliciter logiquement — la relation entre la brûlure gastrique et l'aphasie du sujet qui en est attaqué, puisqu'ils coordonnent les substantifs « soleil » et « silence », deux dissyllabes que leur identique texture consonantique apparente conjointement au substantif « spirale », mais encore ils instaurent une équivoque sémantique révélatrice d'un trouble de l'identité. Sans doute le « qui » sur lequel s'achève le premier vers doit-il s'analyser comme un pronom relatif, sujet du verbe avoir (le démonstratif antécédent étant sous-entendu) ; mais n'est-il pas possible, en accordant à ces vers une attention plus flottante, d'y entendre un pronom interrogatif ? Le blanc de fin de vers qui disjoint brutalement le pronom sujet de la suite de l'énoncé, c'est-à-dire du syntagme verbal « a mal », favorise ce brouillage sémantique. Le tremblement du sens s'accroît encore du fait de la parenté structurale des deux syntagmes constitutifs de la proposition relative « à qui / A mal », chacun formé de deux dissyllabes dont le premier est « à ». Et comme le deuxième « a » est majuscule puisque placé à l'initiale du deuxième vers et qu'étant majuscule il ne peut qu'être, dans l'édition dont nous disposons, dépourvu d'accent, il n'est plus identifiable avec certitude à une forme du verbe avoir et se laisse tout aussi bien lire comme préposition. Ainsi se crée une sorte de faux parallélisme syntaxique qui invite à instaurer une équivalence entre le pronom « qui », entendu comme interrogatif posant la question de l'identité, et le substantif « mal », désormais perçu comme réponse à celle-ci. Dans la « solution » arbitraire du vers[15], l'identité de l'être qui, attaqué par l'ulcère gastrique, a en partage soleil et silence, vacille. « Qui » est-il, lui dont le moi se dissout dans son « mal » ? Dans cette perspective, l'effort pour donner par la métaphore — bouche ou spirale — un certain degré de *visualité* à la sensation, l'effort pour passer du senti au vu, apparaît comme une tentative de distanciation recréatrice de soi. « [P]uisqu'on ne peut regarder que dans la distance » (*FTD*, 92), cette distance qu'ignore la peau ouvrant « l'espace illusoire du non limitable » (*FTD*, 93), l'acte de voir implique toujours la séparation de l'objet et du sujet. Mettre en images la profondeur organique attaquée par la douleur, figurer l'ulcère invisible, c'est donc chercher à les tenir dans ou sous son regard, à les objectiver au lieu de consentir à se dissoudre dans le trou béant au fond du corps.

Sensation d'affaiblissement, voire de perte de la conscience de soi dans la douleur, volonté de se reconstruire en projetant hors de soi des images de l'attaque invisible subie par le viscère : la question de l'iden-

15. « Solution » étant entendu ici au sens étymologique de séparation, coupure.

tité propre est bien sous-jacente aux textes de « Spirale interne ». Mais elle ne s'y formule pas explicitement alors que, dans « La boîte noire », l'identité du sujet est l'objet d'un questionnement direct. La suite s'achève en effet sur les vers :

> Ce qui est.
>
> Par dessous.
>
> Suinte.
>
> Serait-ce moi.
>
> Ou qui. (*SA*, 138)

Alors que le deuxième poème, ouvert et fermé par la même assertion : « J'y suis » (*SA*, 120), multiplie les occurrences du pronom de première personne du singulier, sous ses deux formes — tonique et atone —, affirmant ainsi la présence du sujet à lui-même, l'alternative finale « moi / Ou qui » vient problématiser la notion de « moi ». La traversée organique conduit donc à s'interroger sur ce qui se désigne par ce terme. C'est que les images endoscopiques qui superposent des vues fragmentaires du cerveau, en insistant sur les phénomènes de circulation, lumineuse ou liquide, dont il est le lieu, viennent fissurer la certitude initiale : elles dépossèdent le sujet de son autorité au profit de cette chose presque innommable (sinon par le pronom neutre) et le confrontent à sa précarité. Pour que je sois présent à moi-même, il faut, comme le rappelle le deuxième poème, que « [m]es cellules remuent » (*SA*, 120), que mon sang circule. Or ce mouvement s'effectue « sans moi ». Et il suffit de bien peu pour l'interrompre. Dans ce cas :

> Aveugle je tomberais
> Sans me connaître   ici. (*SA*, 134)

Le large blanc qui vient creuser le dernier vers et déporter sur la droite l'adverbe de lieu fonctionne comme une figuration littérale de la perte de conscience, dont la perpétuelle menace ne peut être ignorée de qui parvient à voir, grâce à l'endoscope du poème, le fragile réseau sanguin irriguant son cerveau. Pas plus que ne peut être occulté, quand le poème a donné à voir le système électronique dissimulé dans « la boîte noire », le risque d'une

> [...] catastrophe
> (La chute l'incendie des herbes
> Le rail tordu...)

Ou simplement un faux contact
[... qui]
Dérange les fils

entraînant à nouveau l'absence à soi-même du sujet quand

Ça crame
Dans l'hallucination. (*SA*, 137)

En contraignant le sujet à identifier « moi » et « ça », c'est-à-dire « [c]e qui est / / Par dessous », ce qui suinte sous les os finement engrenés de la boîte crânienne (car si « ça » n'est pas « moi », « qui » pourrait-ce bien être ? il n'y a personne d'autre que moi en moi), en l'obligeant à penser que « je » ne peut être ailleurs que là, dans ce corps profond, dans ces organes en état de fonctionnement, l'endoscopie poétique le dépouille de son identité propre pour le renvoyer à sa seule mortalité. Voir au creux du corps, c'est voir le lieu commun où, en deçà ou au delà de la singularité personnelle, s'éprouve l'appartenance à une condition. Voir dans les profondeurs organiques, viscérales ou cérébrales, c'est voir le fonctionnement de la machinerie corporelle. Or, il « est évident que tout fonctionnement doit, plus ou moins, brusquement ou non, gripper » (*RJ*, 279). Voir fonctionner la « batterie des organes[16] » équivaut donc à voir l'inéluctabilité de l'usure, du détraquement, c'est-à-dire la mortalité. La voir et non pas la savoir, d'un savoir intellectuel, quasi abstrait.

Significativement, *Les solutions aléatoires*, dont « La boîte noire » forme la cinquième suite, est le recueil où Jean Tortel exprime le plus directement la conscience intime de sa précarité. La première suite, « Cela se passe », s'ouvre sur la formulation la plus nue peut-être qu'il soit possible d'en proposer :

S'il en reste
(Des paroles des jours) (*SA*, 9)

et bien des poèmes qui tissent ce premier ensemble viennent rappeler le travail du temps dans le corps :

De temps à autre
Une fissure.

Une artère
S'enflamme un peu
Cassera peut-être.

16. Gérard Arseguel, « *Des corps attaqués* : la notion de limite », dans *Le regard écrit. Poétiques de Jean Tortel*, Marseille, André Dimanche, coll. « Ryôan-ji », 1997, p. 70.

Ça coulera
Plus difficilement. (*SA*, 27)

Il y a plus encore : pour la première fois dans l'œuvre d'un poète qui, jusque-là, a surtout suscité obliquement la pensée de la finitude, en constatant, par exemple, le pourrissement du végétal, une tombe surgit dans sa redoutable simplicité[17] :

Après les saisons de pluies
L'herbe est hors de la tombe
Qu'on nettoie

Lisse et douce au toucher
Assez pour
Faire peur. (*SA*, 21)

Boîte noire aussi que cette tombe, puisque le regard n'en peut saisir que ce qui y entre — les pluies — et ce qui en sort — l'herbe. Mais boîte noire à l'intérieur de laquelle il n'est nul besoin de chercher à voir. Car l'intérieur en est bien trop connu : c'est lui, sans doute, qui « fai[t] peur ».

Toutefois, si la peur se déclare, elle ne suffoque pas la pensée de celui qui l'éprouve et n'altère en rien sa parole. Le poème tortélien reste égal à lui-même, avec son accent si particulier qui tient, pour partie, à la manière abrupte de couper le vers, ainsi qu'au calme persistant même à travers les déchirures. Si j'ai pu, d'ailleurs, être tentée de parler, à propos des suites du corps profond, de poésie/endoscopie, c'est sans doute parce que s'y manifeste un effort pour voir dedans mais aussi à cause de la tension du poème vers une neutralité absolue de l'énoncé qui confère à certaines notations un caractère quasi clinique, jugulant ainsi tout pathos. Dans un texte inachevé, écrit, selon son auteur, vers 1959 ou 1960 et retravaillé en 1962[18], c'est-à-dire à une époque où le corps n'avait pas encore vraiment subi les attaques du temps, Jean Tortel exprimait à la fois son consentement à l'ordre des choses, donc à la dissolution de soi dans l'humus et dans l'herbe, et son incapacité à donner à la certitude rationnelle de sa mort une évidence concrète. À la

17. Les mots « tombe » et « tombeau » ne sont pas absents des recueils précédents. Mais ils n'ont jamais suscité dans son absolue nudité la présence concrète de la dalle ni celle de la fosse. Même la « tombe / glacée / Lisse comme un miroir » qui apparaît dans « Neufs poèmes regardent ? » (*Naissances de l'objet*, Marseille, Cahiers du Sud, 1955, p. 91) est susceptible de se lire métaphoriquement, puisque cette suite évoque une ferme abandonnée, donc « morte ».

18. Ce texte a été publié en 1993, après la mort de Jean Tortel, aux éditions Fourbis, sous le titre *Fragment personnel*.

suite des épicuriens antiques, dont il a toujours été un familier (il était, en particulier, grand lecteur de Lucrèce), il constatait l'impossibilité de faire coïncider les deux énoncés : « Je suis moi » et « Je suis mort », et expliquait ainsi son absence d'effroi devant l'inéluctable. Il est assez remarquable qu'en un temps où la plongée dans les profondeurs organiques a fait de la certitude logique de la mortalité une évidence sensible, le même consentement soit réitéré, à peine plus frémissant. À propos des poèmes du corps profond, Tortel note dans son journal :

> Mes derniers poèmes, on les trouve noirs [...]. Je crois qu'ils ne sont ainsi que pour ceux qui écartent désespérément l'image du corps qui s'use peu à peu et se détraque à fonctionner [...]. Les muscles, les artères plus raides, le sang chargé de graisse ou de sucre, etc. C'est constatation pure, non pas angoisse ; ni révolte qu'il en soit ainsi d'un corps constitué par les attaques obscures qu'il suscite à l'intérieur de soi, et précisément pour être corps ; [...], pour se désigner à lui-même en tant qu'objet non immobile, non éternel. (*RJ*, 278-279)

« [O]bjet non immobile, non éternel », tel est bien le corps. Tel le montrent les images de la machinerie interne découvertes dans l'endoscope du poème. Tel Jean Tortel l'accepte. Avec lucidité. Non sans un léger tremblement, mais sans cet effroi qui viendrait abîmer la pensée et interdire de vivre encore

> Tant que donc
> C'est possible ici. (*SA*, 10)

D'une audace à demeure

JEAN-LUC STEINMETZ

Les poètes savent expliquer leurs œuvres — ou s'abstiennent de porter sur elles un tel regard inquisiteur. Orphée peut ne pas s'assurer qu'Eurydice le suit. Le plus souvent, il se retourne. Depuis Poe, depuis Baudelaire, n'en voulons pas à ceux qui dirigèrent des yeux rétrospectifs sur leurs propres pages ou celles des autres. Jean Tortel fut de ceux-là. Et nous ne saurions mieux parler de lui (parfois) qu'il ne le fit. Mais une telle lucidité n'empêche pas l'obscurité de revenir, le non-savoir d'environner la conscience critique. Cette parfaite maîtrise, cette assurance quant à ce qui fut dit n'évacuent pas les hésitations préalables ni l'espèce d'ignorance foncière à travers laquelle tant bien que mal l'écriture fraie son chemin. Il ne sera donc pas question ici de proposer une vision plus ou moins adéquate et généralisante de l'œuvre — ce qui conduirait à répéter des propos connus. Plutôt, en prélevant dans divers livres certains vers, essayer de réfléchir sur ces sortes de maximes à l'usage de la poésie et de la vie que Tortel nous offre, puisque aussi bien le formulaire hante toute parole poétique, comme perfection nécessaire et souhaitée. Ensuite, plusieurs relations étroites de son œuvre avec la « Prose (pour des Esseintes) » de Mallarmé seront rappelées, non pour mémoire ni par érudition, mais avec le soin de retrouver une aire luxuriante d'étonnante disponibilité et comme une vérification clarifiante.

* * *

Elles y sont ce qu'elles sont avant.
Que les renverse un intrus[1].

« Elles » désigne évidemment les choses dont parle le poème qui précède, dans le livre *Arbitraires espaces* écrit de juillet 1984 à août 1985 et publié en 1986. Une assez longue citation de Jean Paulhan forme le canevas sur lequel se sont constitués les textes. Tortel se place face aux choses ici encore : c'est là une posture à laquelle il nous a habitués. Les longues années passées aux *Jardins neufs*, son domaine d'Avignon, l'ont assigné à une double activité, agricultrice et culturelle : mettre la main aux choses du jardin, arracher, bêcher, retourner la terre, tailler, émonder, brûler et, de cette main, former, à proximité, les lignes (les vers) sur la page, avec la pleine conscience d'une stricte homologie les reliant. Le reste est rarement indiqué. Assez peu la lecture (qu'abordent ses notes de journal). Ou les actes de l'amour (que laisse entrevoir son attention au corps). Les vers cités plus haut annoncent que les choses « sont ce qu'elles sont » là (« y »). À savoir dans l'espace. La copule redouble strictement leur existence hors langage où elles ont leur façon d'*être*. Elles s'y trouvent de toute éternité — pourrait-on dire. Dans un temps, du moins, qui échappe à celui qui les préempte. Mais de cela il n'y aurait rien à dire. Car tout s'y tient à l'abri du verbe, dans une préhistoire où l'homme n'aurait pas encore eu lieu. L'« avant. / Que » lisible dans le poème, et significativement divisé / raccordé par un rejet, n'est pensable que du moment où l'écriture s'en mêle, où fut décidé de soustraire au non-parlant les choses, silencieuses auparavant. Exercice périlleux. Tentative d'exploration au cours de laquelle on ne peut pas ne pas évoquer une transgression. Car quelqu'un s'enhardit à placer dans le présent (celui de l'écriture) ce qui se tenait ignoré dans une atemporalité intouchable. D'où le terme d'« intrus », violent, violateur, indiquant qu'une limite fut franchie, un domaine investi, qui n'était point destiné à subir la force du langage. Parce que quelqu'un a pénétré dans l'espace des choses (du moins, y a porté son regard), les voici transformées selon des manipulations spéciales, des images, des figures, tout à la fois éloquentes et déformantes. La pénétration quasi sexuelle à travers ce qu'ailleurs Tortel nomme l'« échancrure », équivaut à un acte prohibé : violence de la lettre réduisant à merci la pluralité des choses. La tentative de qualification se risque à imposer au visible le lisible, provoquant ainsi une miniaturisation. Tortel pourtant n'accentue guère

1. Jean Tortel, *Arbitraires espaces*, Paris, Flammarion, coll. « Poésie », 1986, p. 39.

dans les deux vers cités plus haut l'action de l'intrus, puisqu'il se borne à dire que celui-ci « renverse ». Le terme pourrait indiquer un geste plus radical, plus dévastateur. Or c'est plutôt d'une action réfléchissante qu'il est question quand, inversées comme en miroir, les choses, d'être inscrites, prennent un autre aspect, où seuls les hommes peuvent les reconnaître. « Renversement ». Il en fera l'un de ses maîtres mots. Mais, comme le diront les vers suivants, les choses, après le renversement de leurs traces, n'en demeurent pas moins « énigmatiques ». C'est signifier que le nouveau monde où elles se trouvent transposées provoque brusquement à leur endroit des questions pour lesquelles elles n'avaient pas été faites. Il n'est de l'ordre des choses qu'elles interrogent que si, soumises à l'appréhension d'une conscience, elles se transforment en objets cernables et distanciés. Le coup de force de l'intrus leur enjoint plus ou moins de signifier, d'être conformes à un sens.

* * *

[...] cela.
Sans dimension ni syntaxe.
Est aussi bien immobile ou mouvant[2].

Nombreux les sujets pour les poètes : leurs affects, leurs émotions, les autres, l'univers. Quelques-uns aiment à se placer devant une totalité qu'il serait sans doute erroné d'appeler cosmos. Je pense à Ponge, à Follain, à Guillevic, si dissemblables soient-ils, tous poètes au monde, mais qui ne savent pas (ou plus) ou ne veulent plus savoir de qui dépend ce monde. Confiants dans une matière aux multiples aspects, ils entendent en exprimer le « déjà là ». Aussi plusieurs critiques ont-ils remarqué le « là-devant » tortélien qui, passé la vitre de la pièce où il travaille, s'étend au jardin, puis très au-delà, à la fois recueil et variété terrestre. « Cela » résonne chez lui comme nul autre. Tout se tient dans ce démonstratif, accompagné d'un geste possible qui renvoie autant à l'ensemble qu'au plus infime détail. Un « cela » vivant, naturel, réserve de qualifications aléatoires, bien différent en ce sens du ça freudien, mais qui porte en lui la même indéfinition et se conçoit comme source dont émaneraient des phrases. Principe où s'échangent les contradictions et dont l'écriture ne saurait venir à bout. Inévitable est ce point de départ (simplement imaginable comme tel), sans commencement ni fin. Si bien que l'écriture ne pourra jamais s'y égaler, mais qu'elle ne se conçoit

2. *Ibid.*, p. 68.

qu'à vouloir l'égaler, à rendre ses qualités les plus essentielles. Espace donc, on veut le croire, si l'espace, reconnu par nos pas, est aussi l'espace en abyme et, plus rigoureusement cadrée, cette page même où s'impriment des simulacres.

* * *

> À les nommer ces choses là devant.
> Interviennent elles sont.
> L'apparition qualifiante qui rallume[3].

L'intrus un peu plus s'avance. Nomenclateur, Adam comme au premier jour. L'acte s'impose donc. Simplement pour que l'on existe, pour que l'on soit celui qui parle (et ponctue) et, par là, de nouveau crée. Dans un contexte, celui de la seule poésie, Tortel réfléchit (renverse) strictement la saisie, l'approximation. Il mesure les mouvements fondateurs de son écriture, laquelle est une rigoureuse prise en compte de ce qui, sinon, pourrait rapidement se dissiper en faux-semblants émotifs. À ce compte, oui, quelque autre chose à mesure est passé sous silence (de l'ordre d'un affect plus intime) pour obéir à la visée soigneusement matérialiste d'une écriture au plus près d'elle-même et qui, faisant image, prend néanmoins toute distance vis-à-vis d'un imaginaire, qu'elle ne refuse certes pas, mais laisse de côté (dans les marges). Nommer, acte d'intrus peut-être, bouleversant la *hylé* préverbale, donne du coup aux choses une autre fonction. Sorties du silence par la provocation, sériées, délimitées sitôt qu'elles ont leur allure de mots, elles « interviennent ». Et l'on remarquera les déplacements produits, en l'occurrence : le scripteur intrus s'immergeant d'abord dans un espace sans paroles, puis les choses littéralement « se plaçant entre », à la fois soustraites à leur immanence et, sous un nouvel aspect, élevant une présence, insolite, quoique *logiquement* conforme à leur réalité. Tortel ne cesse d'exposer ce genre d'épiphanies et le pouvoir événementiel de nommer, comparable à une démiurgie, à laquelle toutefois, il ne concède jamais, soucieux qu'il est de n'assurer d'autorité que celle de l'auteur posée dans ses limites, ses doutes et ses rares certitudes. Que l'apparition « rallume » donne, en ce cas, par un tour métaphorique, une lumière au monde mat de l'écriture. Un certain *jour* se fait, qui est la clarté de la compréhension placée sous le signe de la poésie, et telle qu'il faut bien cette lumière pour que nous-mêmes ayons quelque

3. *Ibid.*, p. 114.

motif d'exister, quelque justification pour être là. Cependant, à proportions égales, l'obscur veille (ou fait obstacle), et la nomination, acte par excellence du poète, ne propose qu'un provisoire éclaircissement, puisque les choses n'en demeurent pas moins muettes. Ce mutisme même, en fait, est une illusion : c'est nous qui voulons qu'elles parlent — ce pour quoi elles n'ont nulle vocation. Mais rien ne saurait nous écarter de ce désir.

* * *

> Il faudrait qu'au moment
> Qui fut donné   cela
> Ne bouge plus   quand c'est
>
> Sans doute là devant [...][4]

Ne sommes-nous pas voués à la répétition ? Autant dire que Jean Tortel n'aura jamais fini de dire le même. Mais ce qui plaît, à son endroit (question de goût, en effet !), c'est assurément ce « même » dont on ne parvient pas à faire la somme. On aime assister à son expansion continue, dans des limites que l'on pensait d'abord connaître. Il y a là de ces variations comme la musique en accorde. Et finalement le pluriel de différences constamment surgies, la division en infinies parcelles de ce qu'on estimait simple unité, l'aspect, toujours surprenant, d'une image *a priori* familière, qui se révèle de plus en plus étrange. À cet étonnement recommencé Tortel convoque, comme au premier instant dont il est l'un des rares (avec Ponge) à avoir scruté à ce point l'origine et l'avènement, avec le souci de réinterroger cette naissance à tout prendre prodigieuse, puisqu'elle permettrait, qui sait ?, pourvu d'y appliquer une attention soutenue, de saisir le secret de l'écriture. De ce qu'il nous dit les choses encore et toujours « énigmatiques », il est bien permis d'inférer qu'il recherche l'énigme première, celle de l'ouverture, celle de l'échancrure, ce que révèle un trou dans la haie (sans qu'on cherche à y voir un symbole), ce qu'adresse à nos yeux une fleur quand elle se déploie. Pour lui, la vue est — on le sait — le sens primordial qui permet de sur-prendre. Tortel est continûment au spectacle de choses sans grandeur particulière, dont la présence semble souffler une leçon et engager au « discours des yeux ». Leçon nullement morale, cependant. Là s'affirme la force du réel et le pouvoir humain d'y prendre part. Tout ne s'offre pas également de façon continue, selon le plus beau et le

4. Jean Tortel, *Les saisons en cause*, Marseille, Ryôan-ji, 1987, p. 54.

plus favorable des consentements. Il faut attendre que le temps décide. Tortel précise ce « moment / Qui fut donné », on ne sait par qui, en dehors de toute providence ou fatalité, parce que l'heure du *kairos* est venue, que le corps s'accorde aux choses selon une espèce d'injonction secrète et de coïncidence, qu'il serait vain d'analyser davantage, même si la circonstance et l'occurrence parviennent à l'expliquer. Toujours est-il qu'existent de pareils moments pour celui qui, exerçant simplement son regard, finit par être capteur d'indices. L'expression « cela / Ne bouge plus » se confond avec un propos de photographe guettant le phénomène. Mais ce que l'on retiendra en pareil cas, c'est à quel point la décision même de l'auteur semble problématique, puisqu'elle dépend d'un impersonnel « il faudrait » (dont on mesure mal à quel genre de nécessité il répond) et d'un non moins surprenant « moment / Qui fut donné » (dont il est malaisé de savoir qui le distribua). À point venu (et comme selon la maturation d'un fruit), « cela » nous apparaît. Or l'apparition est tremblée, troublée. D'elle à nous, dans la distance, une perte autant qu'une information se produit, assujettie à l'inénarrable présence. Le fameux « attention, ne bougez plus » du photographe se répète dans le désir qu'a Tortel de fixer, là où, bien sûr, tout n'est qu'évanescence — si soigneusement regarde-t-on une plante, un feuillage, une forme quelconque. Rien, au demeurant, ne nous attache plus que la nécessité ancienne à laquelle se réfère apparemment son art, à savoir le souci qu'il a de reproduire. Tant il est difficile d'échapper à cette règle première de la *mimésis*, faute de quoi l'art risque de perdre tout contact avec le réel, même s'il est entendu qu'il en sollicite un autre : celui des mots. Et bien que Tortel ne se soit jamais astreint à décrire quelque paysage, nous devinons qu'il ne saurait inventer les formes qu'il nous donne selon la modification (le renversement) de l'écriture. Si bien que, le sens primordial lui faisant défaut, sa vue commençant à baisser, ce sera, à la fin de sa vie, le spectacle interne qu'il voudra dire, cet espace du rêve ou celui du passé, alors devenus pour lui plus évidents que l'autre. Car Tortel qui, par une nouveauté d'expression : « là devant », affirme le modèle, paraît avoir été appliqué à le réduire selon les moyens d'une exactitude particulière, portant moins sur la forme que sur la qualification, c'est-à-dire la sorte de vie émanée des choses, dont il s'est refusé à reproduire la structure pour n'en conserver qu'une essence, sensible équivalent de la « notion pure » mallarméenne.

* * *

Le noir progresse désirant
Inflexible bandé
Vers la droite creuse
La page Trembler
C'est pour la main la tache
Pour l'œil ou le linge.

Le sillon exact (ver
Taraudant) ne peut pas dévier.

Il va vers sa défaite[5].

Des couleurs insistent dans l'œuvre de Tortel. Élémentaires. Rarement rassemblées, mêlées. Sans être symboliques, elles valent pour la matière sous ses différents aspects. Comme existe un rose chez Jaccottet, le lecteur capte chez lui un vert, par exemple, autant celui des feuillages que des herbes, suffisant pour désigner une profusion végétale issue de la terre et qui compose une nouvelle donnée du jour. Le noir, qui ne lui est pas moins familier, renvoie certes à celui de la nuit avec lequel, au fur et à mesure que faiblissait son regard, sa relation devint plus inévitable. Mais le noir, plus encore pour lui, dit l'atrament (l'*atramentum* latin) : l'encre de l'écriture. La métonymie suffit pour que la couleur devienne fonction. Le poème apparaît comme lieu réflexif où, plutôt que franchir l'espace et naturaliser l'étrangeté, l'acte scriptural n'hésite pas à se déchiffrer, en tant que motif dont perdure l'emprise. C'est donc lui que Tortel précise ici en verbes, en adjectifs, comme si par ce seul tracé se révélaient des qualités foncières, en deçà de tout contenu et de toute détermination affective. « Le noir progresse » ne veut donc pas dire que s'étend la nuit, mais que la ligne noire (bientôt nommée « vers » par le point qui la clôt, avant même que la syntaxe ne le veuille) continue vers la droite, quitte à revenir sur elle-même (*versus*). C'est *dans* ce sens-là qu'elle se dirige, quelle que soit l'intention psychologique qui la meut. « Désirant », dit Tortel, sachant bien — pour reprendre Mallarmé — que si « l'homme poursuit noir sur blanc », ce ne peut être qu'avec l'instinct de trouver. Le mot de « quête » s'imposerait, bien qu'il ait perdu quelque peu de sa densité, à force d'être convoqué. Comment dire autrement ? La progression s'engage, inentravable, malgré la certitude des interruptions, ce trait de nuit sur le jour de la page, cependant que l'active un désir. Oui, le geste d'écriture est désirant, implique l'éros d'une démarche où l'on obéit à certaine injonction en vertu d'un signe venu d'ailleurs. Comme si « dans le

5. Jean Tortel, *Les solutions aléatoires*, Marseille, Ryôan-ji, 1983, p. 93.

moment / Qui fut donné », un secret se livrait à nous, dont on estimerait possible de retrouver la teneur, quoiqu'on la sente échappée, évanouie. Noir, le désir bandé vers la droite, où cela fait sens, avance selon cette illusion, avec la claire conscience qu'elle vaudrait, malgré tout, comme vérité, voire achemine vers une étreinte. Arc et sexe tendus vers une cible du même trait innovée dans l'effectuation de l'acte. Tortel souligne cette décision, qui n'est pas simple glissement de surface, remplissage à vue d'œil (et plus ou moins entier) du blanc. L'expression provoque une descente exploratrice ou quelque fouille. Alors nous est révélée une profondeur de la surface et cette intrication de la matière que « le noir » se doit de découvrir et de parcourir. Tout cela relève d'un désir, d'une volonté qui ne s'amenuisent pas, puisqu'ils répondent à un devoir. Face à une telle délibération presque morale, le corps peut faiblir, la main, trembler. Seule compte toutefois la détermination absolue formant la ligne d'écriture. Celle-ci ne décide pas de son objectif encore invisible. Elle est entraînée vers la plus sûre destination. À chaque acte la part qui lui revient. Et si le noir d'écrire vaut par la différence qu'il produit sur la page, au fur et à mesure que sont tracées les lettres (se détachant ainsi), Tortel pense, par contraste, à d'autres marques du monde, taches, inadvertances, moins inflexibles celles-là : séquelle maladive (cette taie sur l'œil qui, dans les derniers temps, embarrassa son regard) ou linge inévitablement souillé.

La conclusion du poème osera se résigner : « Il va vers sa défaite ». La ligne ne peut que s'arrêter. La progression, s'interrompre (se suspendre). Le sens, un instant gagné, se rend à l'absence de sens. La quête, brièvement conquête, dépose les armes — cet arc ou sexe bandés. On le voit — les mots du poème n'ont rien dit, cette fois, qu'une procédure ; ils se sont bornés à produire la réplique de leur élan, laissant ignoré le motif. Uniquement un essor. Une ligne en marche. Et l'assurance affirmée — alors même qu'elle mentionne des tremblements possibles, de suspectes opacités et l'inaboutissement prévisible à l'heure de la fin. Nous devons garder par-devers nous la réalité d'un tel désir, auquel Tortel ne cherche rien que donner sa meilleure expression. Creuser le blanc, traverser le corps de la page, atteindre un lieu de coïncidence — mais c'est la distance seule qui le crée. Autrement dit, s'entêter dans l'impossible en croyant que cet affrontement pourrait se résoudre en amour.

* * *

De tout ce qui fut dit jusque-là, une certaine somme s'est constituée, *grosso modo* l'univers de Tortel, s'il est vrai que chaque poète forme finalement un ensemble où chacun peut se reconnaître, non pas comme placé au miroir, mais par sympathie, par identité d'affects, à moins qu'il n'y ait véritable initiation à autre chose que l'on ne soupçonnait guère et dont maintenant s'impose l'évidence. Mais ces réitérations à l'intérieur desquelles on finit par se repérer (qui nous gagnent), Tortel lui-même s'est rendu compte très vite de leur réapparition. Comme si à l'insistance du motif il n'y avait pas lieu de se dérober. Bien davantage fallait-il y céder, ou mieux, s'en emparer, en faire art. De la répétition écarter la pauvreté de la stéréotypie pour mieux en tresser le leitmotiv, presque en forme de clef, musicale plus que serrurière.

Dans le parcours de sa poésie, l'impression se dégage qu'il en est arrivé, mené par quel hasard de souverain bien, à rencontrer l'inévitable. Lui qui avait profilé des ensembles de sites, de limites, pris exemple du végétal, le voici qui rencontre son jardin, LE jardin. Ses poèmes l'ont mené à l'endroit qu'il fallait. Et d'autant plus grande la coïncidence que par là se trouvait pour ainsi dire «réalisé» un autre texte, qui, depuis toujours, l'accompagnait : la «Prose (pour des Esseintes)». On sait l'importance pour Tortel de l'œuvre de Mallarmé, dont Jean Royère, son maître, se disait le disciple. Et si l'un de ses premiers recueils rend par son seul titre, *Cheveux bleus*, hommage à Baudelaire, Mallarmé bien davantage fut pour lui une référence profondément intériorisée, surtout dans cette «prose» proposant le lieu parfait d'une expérience. Aussi Tortel semble-t-il s'être à maintes reprises ressourcé à ce poème qu'il cite parmi les événements de lecture qu'il aime se rappeler, quand «on retrouve une phrase, un passage qui soudain correspond à quelque chose qui…». Il a donc réellement «retrouvé», comme providentiellement surgies (alors qu'en fait elles reposaient dans sa mémoire), les strophes de cette «Prose (pour des Esseintes)[6]», et ce sont elles maintenant dont je voudrais scruter plusieurs occurrences dans ses notes et pages de journal — occurrences qui reviennent comme une attestation, une justification. La «Prose» est — on le sait — l'un des poèmes les plus difficiles et les plus célèbres de Mallarmé. Elle semble relater une expérience décisive, au cours de laquelle la réalité des choses se serait révélée. Le lieu en est marqué. Il s'agirait d'une

6. Voir Jean Tortel, *Ratures des jours*, Marseille, André Dimanche, coll. «Ryôan-ji», 1994, p. 167.

« île », mais également d'un « jardin », nommé plus loin « Sol des cent iris ». Ces seuls éléments, qui ne correspondent pas nécessairement à ce que Mallarmé put connaître dans sa vie, coïncident bien, en revanche, avec le site des *Jardins neufs* où Tortel, pendant des années, allait exercer à vue d'œil sa poésie. Le périmètre en est clos par une haie. On y voit des arbres, aussi des fleurs, et sur ces fleurs, le poète portera une attention constante, avec la conscience que s'élève devant lui le paradigme par excellence — à la fois objet, chose nommable, tige, pétales et vocable. Le phénomène de la fleur est d'autant plus motif à émotion et à écriture que Mallarmé en avait fait le mot essentiel : « Je dis une fleur et [...] musicalement se lève ». Aussi ne cesse-t-on de le percevoir depuis dans l'œuvre de Ponge, dans celle de Jaccottet, etc.

Une strophe prioritairement a retenu Tortel :

> Oui, dans une île que l'air charge
> De vue et non de visions
> Toute fleur s'étalait plus large
> Sans que nous en devisions.

Le point sensible de ce quatrain, enthousiaste par son « Oui » initial, se lit dans le mot « vue ». Tout le matérialisme de Tortel se conforte de cette vue objective, qui n'a nul besoin de l'imaginaire. Et toute la lucidité de Mallarmé repose dans l'évidence d'une confrontation, où l'onirique importe peu. La poésie ne serait donc pas le lieu des idées vagues (même si, par la suite, il est parlé d'« idées »), et le sens de la vue paraît essentiel pour appréhender ce qui nous fait face. Ce sens n'a pas lieu de nous tromper. Dans sa « Note brève sur le regard de Mallarmé », qui date de 1964, Tortel soulignait déjà ce « retour au concret » et précisait que « Mallarmé accède ainsi à l'univers délimité — à la fois entouré et isolé : une "île"[7] » — ce qui, selon toute vraisemblance, valait pour lui-même. C'est dire que l'expérience cruciale, mais brève du poète de la « Prose » s'applique d'autant mieux à lui qui, loin de l'avoir calquée par ouï-dire, l'a rencontrée et s'y est confronté. Il s'y est installé, par nécessité plus que par ressemblance ou résonance de situation, alors que Mallarmé en avait fait surtout une subsistance, une superbe « hyperbole » sortie de sa mémoire — éternisée si fort, il est vrai, qu'elle dépassait tout état de souvenir. L'île des *Jardins neufs* de Tortel expose à n'en plus finir un ensemble floral dont chaque élément peut se détacher pour décliner un poème, loin de tout scrupuleux recensement, de tout regard

7. Jean Tortel, *Le trottoir de trèfle*, Marseille, Ryôan-ji, 1986, p. 90.

comptable et botanique. On ne peut s'empêcher de penser aux conditions précises de son écriture, quand, dans le même article, il conclut: « cet univers, tout entier créé par le regard, est fonction d'une certaine qualité de l'emprise sensible sur les choses tirées hors d'elles-mêmes, si bien que le poème exige l'infaillibilité[8] ». Là néanmoins se joue l'acte le plus difficile — que Mallarmé appelait « transposition », que Tortel nomme « renversement ». L'objet, en effet, doit être extrait d'un ensemble (donc trahi). Mis en gloire, soit! Mais douteusement magnifié, puisqu'on prétend imposer à son immanence une loi: celle du langage. Alors que le regard nous l'apporte détaché *ad libitum* d'un fond, mais pouvant tout aussi bien s'y confondre, c'est-à-dire rejoindre le secret qu'il ne connaît pas et que toutefois il constitue. C'est alors qu'il s'étale plus large qu'on ne saurait le dire (que toute parole ne saurait le décliner), infiniment supérieur à toute syllabation effective. « Les mots sont inutiles à l'étalement de la fleur. Avec ou sans eux il est vrai que cela est tel. Un *cela* est vrai, non pas une phrase, que je conteste depuis que je l'ai vue (et qui peut s'arranger), tandis que je ne peux pas modifier les relations visibles entre [...] et [...][9] ». Cette prédominance des choses les construit en proximités irrécupérables par la parole, mais nécessaires pour celle-ci, avide de leur concret. Leur concret s'élève à notre horizon. Tout à fait matériel. Il est cependant de notre idéalité de vouloir le saisir, tout comme nous avons un « devoir / Idéal » (voir « Toast funèbre » de Mallarmé) de les dire — ce devoir, cet office ne relevant, par ailleurs, d'aucune utopie, puisqu'ils s'attachent au creusement de l'idée qui préside aussi au langage, lequel n'est pas simple agencement de sons.

Le discours des yeux fut le grand cahier de Tortel, sa décision quasi ultime de saisir le secret. On y perçoit, presque avec malaise, un entêtement qui finit par prendre l'allure d'un exercice spirituel. Certes, il n'est pas question pour lui de trouver un au-delà, puisque « là devant » s'impose et que Tortel se veut matérialiste conséquent. Son acharnement, toutefois (et comment ne pas penser en ce cas aux recherches de Francis Ponge?), suppose comme un dépassement possible, pressenti au fur et à mesure de sa démarche obstinée. Ni l'ensevelissement extatique du voyeur dans ce qu'il regarde. Ni le rêve cratylien d'une merveilleuse union entre la chose et son vocable. Mais comme la démesure pensable d'une mesure, celle qui du poète à l'objet tend un cordeau, soudain pourvu d'une élasticité par laquelle le proche rencontrerait l'infini.

8. *Ibid.*, p. 91.
9. Jean Tortel, *Ratures des jours*, *op. cit.*, p. 299.

Entreprise à perte de souffle que ce *Discours*, jouant de son impossibilité même, sans le moindre harassement, la plus petite marque de lassitude. Au contraire. Une assurance que répétitions, réitérations ne feront pas que revenir au même, mais produiront le scintillement d'innombrables différences. La résolution s'accompagne néanmoins de sa propre critique : « Tout travail *en vue de* restera incomplet, se poursuivant lui-même à travers les rayons dispersés des *vues que l'air charge* et les images du corps éclaté[10] ». La prétention à l'exhaustivité est remise en cause, et l'objectif n'épuise pas l'objet, dont les postures se développent selon une progression quasi indéchiffrable. En cette occasion, comment ne pas éprouver les limites (du corps, du regard, du jardin) et cependant, par une sagesse qui n'étouffe pas la plus grande ardeur, fonder sur elles désormais l'expression ? Tortel reconnaît donc la grande aire plurielle où nous ne pénétrons pas (la *Phusis*, plus encore que la *Natura*) et tout à la fois nous montre assujettis au langage dont la clarification est aussi principe économique *réifiant* la richesse dite plus haut, l'inénarrable faste où chaque chose s'étale plus qu'il n'est dicible. Moment où les mots et la compréhension soulignent (sertissent) la réalité de l'objet, soustrait par un « lucide contour » à l'ensemble du jardin (pour, une fois encore, se référer à la « Prose [pour des Esseintes] »). Toujours est-il que par une « lacune » la chose, l'objet (disons « fleur ») se dessine et qu'il faut bien les considérer comme tels, si l'on veut en parler.

Une conclusion s'impose, provisoire, comme toutes : « Car nous sommes condamnés au face à face, dans notre champ, parcelle barrée, îlot battu par l'erre des simulacres [...][11] ». *Le discours des yeux* aura donc été, pour partie, le journal d'un condamné à la vue, qui ne peut compter sur les mots pour s'évader. Tout est à portée, comme tout est indicible. Serait-on pour autant revenu dans la caverne platonicienne ? Mais, en l'occurrence, ce sont les mots qui forment simulacres. Quant aux objets eux-mêmes, ils ne sont pas des ombres. À vue d'œil, nous captons leur présence réelle. L'île cependant, merveilleuse, fortunée, est devenue une zone dangereuse, menacée par une marée de mirages. Deux pages plus loin, néanmoins, Tortel tente une réconciliation, quand il envisage, citant cette fois « Toast funèbre », une « agitation solennelle par l'air ». Images et paroles peuvent aller à leur rencontre, loin de tout affrontement, favoriser une coïncidence, un échange d'état (optique-vocal) pour « produire une forme, une parcelle de ce qui pourrait être

10. Jean Tortel, *Le discours des yeux*, Marseille, Ryôan-ji, 1982, p. 16.
11. *Ibid.*, p. 152-153.

dit[12] ». La lacune creusée par le langage laisserait ainsi envisager une réparation provisoire, un ajointement minimal, même si aucune conjonction totale n'est pensable (exprimable).

Quelques *Feuilles, tombées d'un discours*, celui des Yeux, confirment l'importance pour Tortel de la fameuse *Prose*-jardin. Et répètent avec soin l'impossible de la procédure : d'une part, la tenue des fleurs et des végétaux dans leur site (on a compris, dès lors, qu'il s'agit de tout objet) ; de l'autre, le désir non moins ardent de les qualifier, et le très clair constat que l'acte ne peut que se répéter, fort de ce moment où, tendu vers le futur de son accomplissement, il se leurre en toute conscience d'un résultat qui abolirait enfin la distance, alors que lui-même prend de cette distance sa raison d'être.

* * *

Je ne vois obstinément rien d'autre à dire de Tortel que proclamer cette connaissance approchée, cette illusion, gardée envers et contre tout, et la mise au point chaque jour du dispositif qui se nomme poème et s'affermit dans le vers — unité indubitable entre une majuscule et un point final. La substance de ses textes, leur richesse aux denrées numérables comptent moins, sans doute, que cette construction, cette machinerie (ou mieux, ce système en miroirs) par lesquelles une sorte d'assentiment l'emporterait. Mais curieusement Tortel préfère affirmer que les choses se maintiennent dans leur insaisissable immanence, éden à la fois proche et lointain dont l'accès ne serait qu'invention de l'esprit. C'est ainsi fuir la description apprivoisante, croire plutôt qu'une autre manière d'appréhension a quelque raison de risquer son élan, non par images congruentes, mais par traits, projections et prises. Le meilleur d'une telle « pratique » (pour reprendre un mot que Mallarmé appliquait à la lecture) tient dans l'assurance dont elle se fortifie. Rien n'est fermé en face, même si la plus grande partie se dérobe. Et bien que l'on ne puisse aller plus loin que ce qu'apporte le regard, il reste que ce regard perçoit plus que les mots, et que de ce plus qui pourrait être rédhibitoire, les mots constamment se rechargent, donnant au poème son dépassable horizon, malgré les limites acquises.

12. *Ibid.*, p. 154-155.

Jean Tortel : bibliographie

VINCENT CHARLES LAMBERT

Cette bibliographie propose un panorama des divers aspects de l'œuvre de Jean Tortel et du travail critique qu'elle a suscité. Plusieurs écrits du poète demeurent dispersés, non seulement dans les *Cahiers du Sud* — auxquels Tortel contribua de 1939 à 1966, en tant que chroniqueur (« Glanes et gloses »), critique de revue (« Revue des revues ») et correspondant culturel (« Variétés ») —, mais aussi dans des périodiques souvent méconnus de nos jours. Une telle dispersion rendait tout travail d'inventaire quelque peu hasardeux. Je m'y suis risqué néanmoins, en répartissant les écrits de Tortel sous diverses rubriques. La bibliographie se divise en deux sections principales : ŒUVRE (I) et ÉTUDES (II). Dans la première section, après avoir dressé la liste des livres de Tortel (I.1), j'ai cru opportun de distinguer ses contributions aux *Cahiers du Sud* (I.2) de celles, plus inconstantes, à d'autres périodiques (I.3) et de ses entretiens (I.4). En ce qui concerne les études de son œuvre, j'ai dû, par souci de concision, n'indiquer sous « Numéros spéciaux et hommages » (II.1) que le nom des collaborateurs, réservant plus d'espace aux livres (II.2) ainsi qu'aux articles, chapitres de livre (II.3) et thèses (II.4) qui lui furent consacrés au cours des soixante dernières années.

Les mentions [n.p.] et [s.l.] signifient respectivement que la publication n'était pas paginée et qu'elle ne comportait aucune indication sur le lieu d'édition. La mention [n.d.] indique que l'information n'était pas disponible au moment où j'ai établi la notice.

I - ŒUVRE

1. Livres

a) Poésie

Cheveux bleus, Paris, Albert Messein, coll. « La phalange », 1931, 96 p.
Jalons, esthétique, Paris, Albert Messein, coll. « La phalange », 1934, 104 p.
Votre future image, Paris, H.-P. Livet, 1938, 63 p.
De mon vivant, Marseille, Cahiers du Sud, 1942, 87 p.
Du jour et de la nuit, Marseille, Jean Vigneau, 1944, 109 p.
Paroles du poème [*Le corps véritable. Pour la mémoire*], Paris, Robert Laffont, coll. « Sous le signe d'Arion », 1947, 112 p.
Naissances de l'objet, Marseille, Cahiers du Sud, 1955, 151 p.
Explications ou bien regard, Lausanne, Mermod, « Collection du Bouquet », 1960, 101 p.
Élémentaires, Lausanne, Mermod, « Collection du Bouquet », 1961, 96 p.
Les villes ouvertes, Paris, Gallimard, 1965, 91 p.
Relations, Paris, Gallimard, 1968, 125 p.
Limites du regard, Paris, Gallimard, 1971, 127 p.
Instants qualifiés, Paris, Gallimard, 1973, 115 p.
Des corps attaqués, Paris, Flammarion, coll. « Poésie », 1979, 148 p.
Les solutions aléatoires, Marseille, Ryôan-ji, 1983, 155 p.
Arbitraires espaces, Paris, Flammarion, coll. « Poésie », 1986, 124 p.
Les saisons en cause, Marseille, Ryôan-ji, 1987, 127 p.
Passés recomposés, Marseille, André Dimanche, coll. « Ryôan-ji », 1989, 49 p.
Précarités du jour, Paris, Flammarion, coll. « Poésie », 1990, 77 p.
Fragment personnel, suivi de *La femme cuite* et de *Un rêve* par Liliane Giraudon, Paris, Fourbis, 1993, 59 p.
Limites du corps, choix de poèmes, Paris, Gallimard, 1993, 228 p.

b) Romans

Le mur du ciel, Paris, Robert Laffont, 1946, 267 p.
La mort de Laurent, Paris, Bibliothèque française, 1948, 259 p. Réédition : Paris, Messides, 1989, 256 p.

c) Essais

Le préclassicisme français [dir.], Marseille, Cahiers du Sud, 1952, 374 p.
Guillevic, Paris, Seghers, coll. « Poètes d'aujourd'hui », n° 44, 1954, 223 p.
Les poésies de Maurice Scève, essai anthologique, Lausanne, Mermod, « Collection du Bouquet », 1961, 155 p.
Clefs pour la littérature, Paris, Seghers, 1965, 192 p.
Le discours des yeux, Marseille, Ryôan-ji, 1982, 161 p.
Trois essais sur Apollinaire précédés d'un entretien avec Pierre Caizergues, *Que Vlo-Ve ?*, 2e série, n° 11, juillet-septembre 1984, 34 p.
Feuilles, tombées d'un discours, Marseille, Ryôan-ji, 1984, 94 p.

Francis Ponge, cinq fois, Saint-Clément-la-Rivière, Fata Morgana, 1984, 88 p.
Le lyrisme préclassique, Paris, Jacques Brémond, 1984, [n.d.].
Le trottoir de trèfle, Marseille, Ryôan-ji, 1986, 135 p.
Un certain XVIIe, préface de Gérard Arseguel, Marseille, André Dimanche, coll. « Ryôan-ji », 1994, 230 p.

d) *Journal*

Progressions en vue de, Paris, Mæght, 1991, 235 p.
Ratures des jours : 1955-1979, Marseille, André Dimanche, coll. « Ryôan-ji », 1994, 316 p.

e) *Correspondance*

Correspondance 1944-1981, avec Francis Ponge, édition établie et présentée par Bernard Beugnot et Bernard Veck, Paris, Stock, coll. « Versus », 1998, 321 p.

f) *Livres d'artiste*

Spirale interne, illustration de Thérèse Bonnelalbay, Paris, Orange Export Ltd., 1976. Repris dans *Des corps attaqués*, Paris, Flammarion, 1979, p. 33-42.
Didactiques, Nîmes, Le Castellum, coll. « La Répétition », 1978, [n.d.]. Repris dans *Les solutions aléatoires*, Marseille, Ryôan-ji, 1983.
C'est pareil, gravures de James Coignard, Paris, J. Boulan, 1982, [n.d.].
Provisoires saisons, Nîmes, Le Castellum, coll. « La Répétition », 1984, [10 p.]. Repris dans *Les saisons en cause*, Marseille, André Dimanche, coll. « Ryôan-ji », 1987.
La deuxième nuit, pochoirs originaux de Anik Vinay, Gigondas, Atelier des Grames, coll. « Les Florets », 1984, [11 p.].
En vert et noir, lithographies de Michel Duport, Crest, La Sétérée, 1989, [11 p.]. Repris dans *Précarités du jour*, Paris, Flammarion, coll. « Poésie », 1990, p. 31-41.

2. Contributions aux *Cahiers du Sud*

a) *Poèmes*

« De mon vivant », n° 213, février 1939, p. 115-117.
« Les habitants de la terre », n° 229, novembre 1940, p. 517-519.
« In memoriam », n° 235, mai 1941, p. 249-251.
« La sieste », n° 240, novembre 1941, p. 249-260.
« Le visage du jour », n° 253, février 1943, p. 168-170.
« Chroniques de l'île », n° 257, juin 1943, p. 430-436.
« Du jour et de la nuit », n° 264, février-mars 1944, p. 98-102.
« Mystères du corps », n° 268, octobre-décembre 1944, p. 168-170.
« Poèmes de l'amour unique », n° 275, 1er semestre 1946, p. 70-76.
« La rose en sa ténèbre », n° 290, 2e semestre 1948, p. 65-68.
« Le corps », n° 295, 1er semestre 1949, p. 401-405.
« Poèmes chiffrés », n° 300, 1er semestre 1950, p. 230-234.

« Le rêve est l'invention du réveil », n° 303, 2e semestre 1950, p. 237-240.
« L'Ombre et la Mendiante », n° 309, 2e semestre 1951, p. 240-250.
« Neuf poèmes regardent ? », n° 327, février 1955, p. 211-215.
« Équivalences arbitraires », n° 337, octobre 1956, p. 361-370.
« Suite IV », n° 345, avril 1958, p. 212-218.
« Rome », n° 349, janvier 1959, p. 369.
« Explications ou bien regard », n° 353, décembre-janvier 1959-1960, p. 60-63.
« La figure », n° 358, décembre-janvier 1960-1961, p. 381-389.
« Villes ouvertes », n° 365, février-mars 1962, p. 84-92.
« Prose de Zimbabwe », n° 370, février-mars 1963, p. 364-371.
« Lambeaux pour un orage », n° 385, novembre-décembre 1965, p. 251-261.

b) Essais, chroniques diverses

« Présence de Scève », n° 237, août 1941, p. 50-59.
« Le cinquantenaire de la mort d'Arthur Rimbaud », n° 240, novembre 1941, p. 575-577.
« Jean Giraudoux », n° 264, février-mars 1944, p. 176-177.
« Poésie et résistance », n° 268, octobre-décembre 1944, p.187-195.
« Liberté retrouvée », n° 270, mars-avril 1945, p. 239-242.
« Présence de l'épopée », n° 279, 2e semestre 1946, p. 295-297.
« Le philosophe en prison ou l'agent provocateur », n° 285, 2e semestre 1947, p. 729-746.
« La surface de l'homme », n° 291, 2e semestre 1948, p. 323-325.
« Louis Parrot », *ibid.*, p. 339-340.
« L'acte d'écrire », n° 301, 1er semestre 1950, p. 475-485.
« Un langage emprisonné », n° 302, 2e semestre 1950, p. 20-25.
« André Gide et sa gloire », n° 304, 2e semestre 1950, p. 476-477.
« Le problème de l'Art Poétique », n° 306, 1er semestre 1951, p. 182-188.
« Esquisse d'un univers tragique ou le drame de la toute puissance », n° 310, 2e semestre 1951, p. 367-381.
« Notions sur l'esthétique de Victor Hugo », n° 311, 1er semestre 1952, p. 19-36.
« Valéry Larbaud », *ibid.*, p. 117-118.
« Paul Éluard dans son souci de tout dire », n° 315, 2e semestre 1952, p. 200-212.
« Je ne vous connais pas », n° 318, 1er semestre 1953, p. 183-190.
« Francis Ponge et la formulation globale », n° 319, 1er semestre 1953, p. 492-500.
« Gabriel Audisio et le bonheur méditerranéen », n° 320, décembre 1953, p. 138-142.
« Colette », n° 325, octobre 1954, p. 437-439.
« La part poétique », n° 326, décembre 1954, p. 93-102.
« La littérature et sa critique », n° 330, août 1955, p. 307-311.
« Correspondance à propos d'un fronton », avec Gabriel Audisio, n° 333, février 1956, p. 320-329.
« Jean Royère », n° 334, avril 1956, p. 462-466.
« Valéry Larbaud », n° 340, avril 1957, p. 435-440.
« Corneille et l'Histoire », n° 342, septembre 1957, p. 288-294.
« Le poème et ses brouillons », n° 347, août 1958, p. 122-126.

« Roger Martin du Gard », n° 348, novembre 1958, p. 251-258.
« Passage, silence, bonheur », n° 351, juillet 1959, p. 195-200.
« René Ménard et la condition poétique », n° 355, avril-mai 1960, p. 453-459.
« L'heure sonne », n° 364, décembre-janvier 1961-1962, p. 179-181.
« Le regard de Pierre Delisle », n° 371, avril-mai 1963, p. 126-131.
« L'espace de la réponse », n°s 373-374, septembre-novembre 1963, p. 133-139.
« L'outil à tuer le temps », n° 377, mai-juin 1964, p. 458-461.
« Note brève sur le regard de Mallarmé », n°s 378-379, juillet-octobre 1964, p. 3-6.
« De Chénier à Baudelaire », n°s 378-379, juillet-octobre 1964, p. 136-139.
« Guillaume Apollinaire dans ses contradictions », n° 386, janvier-mars 1966, p. 28-36.

c) Chronique « Glanes et gloses »

« Le poème chez les hommes », n° 271, 1er semestre 1945, p. 391-394.
« Recours à la littérature », n° 272, 2e semestre 1945, p. 532-534.
« Le drame nécessaire », n° 273, 2e semestre 1945, p. 697-699.
« Les vitres fermées », n° 274, 2e semestre 1945, p. 841-844.
« Défense d'un langage », n° 275, 1er semestre 1946, p. 130-133.
« Un corps laissé en gage », n° 279, 2e semestre 1946, p. 324-326.
« Pour l'adhésion », n° 280, 2e semestre 1946, p. 491-493.
« Le poète et son critique », n° 281, 1er semestre 1947, p. 129-132.
« Dégradation et extension du langage », n° 282, 1er semestre 1947, p. 317-321.
« Un nouveau Prophète », n° 283, 1er semestre 1947, p. 511-513.
« Correspondance d'Auvergne, ou Le trottoir de trèfle », n° 284, 2e semestre 1947, p. 653-656.
« Défaite et victoire de Guillaume Apollinaire », n° 286, 2e semestre 1947, p. 1020-1024. Repris dans *Que Vlo-Ve ?*, 2e série, n° 11, juillet-septembre, 1984, p. 19-22.
« Une anthologie n'en est pas toujours une », n° 288, 1er semestre 1948, p. 329-331.
« Le singulier », n° 290, 2e semestre 1948, p. 159-162.
« Aragon et la tradition humaniste de la poésie », n° 293, 1er semestre 1949, p. 146-150.
« Poème à Francis Ponge », n° 295, 1er semestre 1949, p. 477-484.
« Responsabilité de Villon ? », n° 296, 2e semestre 1949, p. 134-138.
« Une poésie qui nomme », n° 299, 1er semestre 1950, p. 140-145.
« Critiques au présent », n° 300, 1er semestre 1950, p. 312-315.
« Victor Hugo 1952 », n° 309, 2e semestre 1951, p. 319-324.
« La gloire de Guillaume Apollinaire », n° 313, 1er semestre 1952, p. 489-493. Repris dans *Que Vlo-Ve ?*, 2e série, n° 11, juillet-septembre, 1984, p. 23-25.

d) Recensions

« *Esquisses pour le tombeau d'un peintre*, par Charles Mauron », n° 214, mars 1939, p. 238-239.
« *La cage ouverte*, par Gabriel Audisio », *ibid.*, p. 239-240.
« *Saint Jean du Désert*, par Léon-Gabriel Gros », n° 216, mai 1939, p. 455-458.

« *Le tribut à Mélusine*, par Emmanuel Lochac », nº 218, juillet 1939, p. 597-598.
« *La vie exclusive*, par Jean Pfeiffer », *ibid.*, p. 599.
« *Les poèmes du Petit B*, par René Bichet », nº 223, avril 1940, p. 272-274.
« *Fiançailles pour rire*, par Louise de Vilmorin », *ibid.*, p. 274-275.
« *Introduction à la poésie française*, par Thierry Maulnier », nº 224, mai 1940, p. 339-345.
« *L'odeur du monde*, par Henri-Philippe Livet », nº 225, juin 1940, p. 392-393.
« *Baudelaire*, par George Blin », *ibid.*, p. 393-395.
« *Lespugne*, par Robert Ganzo », nº 227, septembre 1940, p. 443-444.
« *Joueur de tout*, par Jean Rivier », nº 232, février 1941, p. 108-109.
« *Œuvres complètes*, par André Gaillard », nº 241, décembre 1941, p. 648-654.
« *Le tour de main*, par Roger Lannes », nº 243, février 1942, p. 153-155.
« *Risques courus*, par René Massat », nº 253, février 1943, p. 232-233.
« *Nuit de l'homme*, par Denys Paul Bouloc », *ibid.*, p. 233.
« *Nostalgie des attentes*, par Denys Paul Bouloc », *ibid.*, p. 233.
« *Du sein de l'ombre*, par A. Blanc-Dufour », *ibid.*, p. 233-234.
« *Distances*, par André Verdet », nº 255, avril 1943, p. 320.
« *Le pavillon des délices regrettés*, par Tsing Pann Yang », *ibid.*, p. 321.
« *Des mots pour un orage*, par J.-M. Atlan », nº 265, avril-mai 1944, p. 301-302.
« *Le parti pris des choses*, par Francis Ponge », nº 267, août-septembre 1944, p. 99-103.
« *Une histoire de la littérature française*, par Kléber Hoedens », *ibid.*, p. 108-114.
« *Misères de notre poésie*, par Gabriel Audisio », nº 268, octobre-décembre 1944, p. 226-228.
« *La Diane française*, par Aragon », nº 271, 1er semestre 1945, p. 404-405.
« *La chasse au Snark*, par Lewis Carrol », nº 275, 1er semestre 1946, p. 157-158.
« *La lampe tempête*, par Lucien Scheler », nº 280, 2e semestre 1946, p. 508-509.
« *Ici commence le désert*, par Toursky », nº 283, 1er semestre 1947, p. 524-525.
« *Exécutoire*, par Guillevic », nº 289, 1er semestre 1948, p. 513-515.
« *Psaume du règne végétal*, par René Nelli », nº 295, 1er semestre 1949, p. 509-510.
« *La flamme et la cendre*, par Louis Parrot », nº 296, 2e semestre 1949, p. 159-160.
« *À la recherche de Marcel Proust*, par André Maurois », *ibid.*, p. 169.
« *Rapsodies de l'amour terrestre*, par Gabriel Audisio », nº 299, 1er semestre 1950, p. 170-171.
« *Je ne regrette rien*, par Luc Decaunes », nº 301, 1er semestre 1950, p. 526-527.
« *La rue à Londres*, par Jules Vallès », nº 311, 1er semestre 1952, p. 174.
« *Terre à bonheur*, par Guillevic », nº 313, 1er semestre 1952, p. 506-508.
« *Poèmes*, par Odilon Jean Périer », *ibid.*, p. 508-511.
« *Charles Baudelaire*, par Luc Decaunes », *ibid.*, p. 511-512.
« *Les gardes*, par René de Solier », nº 316, 2e semestre 1952, p. 519-521.
« *L'amour et les mythes du cœur*, par René Nelli », nº 317, 1er semestre 1953, p. 129-136.
« *Anthologie des poètes turcs contemporains* », *ibid.*, p. 158.
« *Mélusine*, par Franz Hellens », nº 319, décembre 1953, p. 522-523.
« *Alarmande*, par Henri Rode », *ibid.*, p. 523-524.
« *Lettres de la maison de la mort*, par Julius et Ethel Rosenberg », nº 320, février 1953, p. 176-177.

« *Le Cardinal de Retz*, par Albert Buisson », n° 323, juin 1954, p. 148-149.
« *Propos sur la poésie*, par Stéphane Mallarmé », *ibid.*, p. 150-151.
« *Les mots provisoires*, par Luc-André Marcel », n° 325, octobre 1954, p. 440-446.
« *Méditations sur les Psaumes*, par Jean de Sponde », n° 326, décembre 1954, p. 173-176.
« *Contre Sainte-Beuve*, par Marcel Proust », n° 327, février 1955, p. 319-322.
« *Portrait de Sainte-Beuve*, par Maurice Allem », *ibid.*, p. 322-323.
« *Mémoires d'Helseneur*, par Franz Hellens », n° 329, juin 1955, p. 149-150.
« *L'hypocrite sacré ou Les métamorphoses de Jupiter*, par Gabriel Audisio », n° 330, août 1955, p. 336.
« Regards sur Racine et regard de Racine », n° 335, juin 1956, p. 121-125.
« *Le roman inachevé*, par Aragon », n° 342, septembre 1957, p. 310-312.
« *Œuvres*, par Cyrano de Bergerac », n° 345, avril 1958, p. 315.
« *Baudelaire devant ses contemporains*, par W. T. Bandy et Claude Pichois », *ibid.*, p. 316-317.
« *Lecture pour tous*, par Dominique Aury », *ibid.*, p. 317-318.
« *Bussy-Rabutin*, par Jean Orieux », n° 348, novembre 1958, p. 294-295.
« *Un balcon en forêt*, par Julien Gracq », *ibid.*, p. 298-299.
« *Une curieuse solitude*, par Philippe Sollers », n° 350, mai 1959, p. 162-163.
« *Nécessité vertu*, par Henri Deluy », n° 352, octobre-novembre 1959, p. 467-468.
« *Romanciers du XVIIIe siècle* », *ibid.*, p. 470-471.
« *Le dossier Caravage*, par André Berne Jouffroy », n° 354, février-mars 1960, p. 319-322.
« *Mandragore*, par Jean Todrani », n° 356, juin-juillet 1960, p. 136-138.
« *Écrivains d'aujourd'hui* », n° 357, septembre-octobre 1960, p. 304-305.
« *Œuvres complètes*, par Paul Verlaine », n° 358, décembre-janvier 1960-1961, p. 467-469.
« *De haine et d'amour*, par Robert-D. Valette », *ibid.*, p. 469.
« *L'escalier des saisons*, par Nicole Cartier-Bresson », n° 360, avril-mai 1961, p. 318-321.
« *Ombre gardienne*, par Mohammed Dib », *ibid.*, p. 312-322.
« *René Char*, par Pierre Guerre », n° 367, juillet-août 1962, p. 454-456.

e) Chronique « Revue de revues »

N° 217, juin 1939, p. 550-551.
N° 228, octobre 1940, p. 493-494.
N° 240, novembre 1941, p. 591-593.
N° 241, décembre 1941, p. 656-658.
N° 242, janvier 1942, [n.p.].
N° 243, février 1942, [n.p.].
N° 244, mars 1942, [n.p.].
N° 245, avril 1942, [n.p.].
N° 246, mai 1942, p. 420-422.
N° 247, juin 1942, p. 471-474.
N° 247, *ibid.*, p. 499-501.
N° 248, juillet 1942, p. 572-580.

N° 251, décembre 1942, [n.p.].
N° 252, janvier 1943, p. 69-72.
N° 253, février 1943, p. 241-242.
N° 254, mars 1943, p. 240-244.
N° 255, avril 1943, p. 325-327.
N° 256, mai 1943, p. 403-407.
N° 257, juin 1943, p. 485-488.
N° 258, juillet 1943, p. 554-562.
N° 260, octobre 1943, p. 821-824.
N° 261, novembre 1943, p. 907-910.
N° 262, décembre 1943, p. 1017-1020.
N° 264, février-mars 1944, p. 177-179.
N° 275, 1er semestre 1946, p. 171-172.
N° 281, 1er semestre 1947, p. 153-154.
N° 318, 1er semestre 1953, p. 349-350.

f) Chronique « Variétés »

« Trois conférences de Léon-Gabriel Gros », n° 216, mai 1939, [n.p.].
« Conférences », n° 255, avril 1943, [n.p.].
« Sur le festival d'Avignon », n° 295, 1er semestre 1949, [n.p.].
« Sur le 4e festival d'Avignon », n° 301, 1er semestre 1950, [n.p.].
« Sur le 5e festival d'art dramatique à Avignon », n° 307, 1er semestre 1951, [n.p.].
« Toiles récentes d'Éric Serra », n° 322, mars 1954, [n.p.].
« Une lettre de Beauregard », n° 323, juin 1954, [n.p.].
« Ferrari », n° 324, août 1954, [n.p.].
« Le T.N.P. en Avignon », n° 325, octobre 1954, [n.p.].
« Hommage à Gabriel Bertin : aux Échanges Dramatiques », n° 340, avril 1957, [n.p.].
« Lettres de Rabat », n° 351, juillet 1959, [n.p.].
« La peinture à Aix : Engel Pak – Edgar Malik », n° 354, février-mars 1960, [n.p.].
« La peinture à Marseille : Arène et Trofimoff », *ibid.*, [n.p.].
« Tel Quel », n° 355, avril-mai 1960, p. 488.
« Le T.N.P. à Avignon », n° 357, septembre-octobre 1960, [n.p.].
« Festival d'Avignon », nos 362-363, septembre-novembre 1961, [n.p.].
« Festival d'Avignon 1962 », n° 368, octobre-novembre 1962, [n.p.].
« Vilar à Avignon ou la permanence du héros », nos 373-374, septembre-octobre 1963, p. 231-233.
« Une semaine à Knokke », n° 376, février-mars 1964, [n.p.].
« Avignon 1964 », nos 378-379, juillet-octobre 1964, [n.p.].
« Soirée du T.N.P. », nos 383-384, août-septembre 1965, [n.p.].
« Lettre de Cerisy-La-Salle : Décade Paul Valéry », n° 385, novembre-décembre 1965, [n.p.].

g) Dossiers

« Avant-propos », *Baroques allemands du XVII*e, n° 346, juin 1958, p. 331-337.
« Avant-propos », *Roger Martin du Gard. Lettres à l'architecte*, n° 349, janvier 1959, p. 323-326.
« Avant-propos », *Baroques occitans*, n° 353, décembre-janvier 1959-1960, p. 3-4.

3. Contributions à d'autres périodiques

a) Poésie

« Poème », *Le Manuscrit autographe*, n° 14, mars-avril 1928, [n.d.].
« Retour », *Le Manuscrit autographe*, n° 17, septembre-octobre 1928, [n.d.].
« Poèmes », *Mercure de France*, n° 739, avril 1929, p. 62-65.
« Invocation », *Le Manuscrit autographe*, n° 24, novembre-décembre 1929, [n.d.].
« Deux sonnets », *Le Manuscrit autographe*, n° 27, mai-juin 1930, [n.d.].
« Le Lubéron est en face », *Le Manuscrit autographe*, n° 33, mai-juin 1931, [n.d.].
« Jalons », *Le Manuscrit autographe*, n° 36, novembre-décembre 1931, [n.d.].
« Dizains familiers », *Le Manuscrit autographe*, n° 49, octobre-décembre 1932, [n.d.].
« Jalons », *Feuilles vertes*, nos 13-14, octobre-novembre 1936, [n.d.].
« Prose pour Madita », *Le Lunain*, n° 11, mars 1938, [n.d.].
« Extraits de Madita », *Le pont Mirabeau*, n° 2, décembre 1938, [n.d.].
« Poèmes », *Yggdrasill*, n° 11, février 1938, [n.d.].
« Du soleil et du vent », *Grand Erg*, n° 1, été 1939, [n.d.].
« Poèmes », *Fontaine*, n° 12, janvier 1941, [n.d.].
« Poème », *Poésie 41*, n° 4, mai-juin 1941, [n.d.].
« Poèmes », *Anthologie des sables*, n° 1, juin 1942, [n.d.].
« Rencontres », *Poésie 43*, n° 13, mars-avril 1943, [n.d.].
« Deux poèmes », *Cahiers de la Pensée Française*, n° 12, mai-juin 1943, [n.d.].
« La deuxième nuit », *Confluences*, n° 20, juin 1943, [n.d.].
« Poème », *Confluences*, n° 27, décembre 1943, [n.d.].
« Qui n'aime pas… », *Cahier de poésie I*, n° 1, automne 1944, [n.d.].
« Pareille au corps », *Poésie vivante*, Paris, Les Belles Lettres, « Les lettres », 1954, [n.d.].
« La rose en sa ténèbre », *Poèmes de l'année 1956*, Paris, Seghers, 1956, 31-41.
« Poèmes », *Nouvelle Revue Française*, n° 63, mars 1958, 429-432.
« Poèmes », *Poèmes de l'année 1959*, Paris, Seghers, 1959, [n.d.].
« Sans titre, poème », *Action poétique*, n° 8, décembre 1959, [n.d.].
« À partir d'une fleur », *Tel Quel*, n° 2, été 1960, p. 67-68.
« Offrandes d'un espace », *Nouvelle Revue Française*, n° 94, octobre 1960, p. 643-649.
« Trois avancées », *Les Cahiers du Refus*, n° 2, mai 1962, [n.d.].
« Villes ouvertes », *Tel Quel*, n° 10, été 1962, p. 85-87.
« La maternelle », *Action poétique*, n° 18, octobre 1962, [n.d.].
« Le songe et le portrait », *L'Auvergne littéraire*, nos 174-175, 3e-4e trimestres 1962, [n.d.].

« Critique d'un jardin », *Nouvelle Revue Française*, n° 175, juillet 1967, p. 49-53.
« Explication de texte », *Manteia*, n° 2, 1967, [n.d.].
« Critique d'un jardin », *Poèmes de l'année 1968*, Paris, Seghers, 1968, p. 260-263.
« Frontières d'un espace », *Manteia*, n° 5, 1968, [n.d.].
« Poèmes », *Nouvelle Revue Française*, n° 200, août 1969, p. 209-210.
« Limites du corps », *Manteia*, n° 7, 1969, p. 64-69.
« [Sans titre] », *Poèmes de l'année 1970*, Paris, Seghers, 1970, p. 208-209.
« Lecture du corps » suivi de « Commentaire », *Création*, tome 2, 2e trimestre 1972, p. 81-88.
« Limites du corps », *Sub-stance*, nos 5-6, 1973, p. 9-15.
« Instants qualifiés », *La Revue de Belles-Lettres*, n° 2, 1973, p. 23-28.
« Végétal », *Arfuyen*, n° 1, printemps 1975, [n.d.].
« Tracés de l'objet », *Sud*, n° 17, 4e trimestre 1975, p. 5-20.
« Le discours des yeux », *ibid.*, p. 21-26.
« Éclaircies datées », *La Revue de Belles-Lettres*, nos 3-4, 1975, p. 111-116.
« À la première lecture », *Nouvelle Revue Française*, n° 293, mai 1977, p. 47-50.
« L'Insituable », *Argile*, n° 16, été 1978, [n.d.].
« Un travail bleu », *Action poétique*, n° 77, 1er trimestre 1979, [n.d.].
« Le plus exactement pur », *Sud* [hors série], printemps 1979, [n.d.].
« Un regard lisible », *Sud*, nos 32-33, 2e trimestre 1980, p. 24-30.
« Une phrase », *Argile*, nos 23-24, printemps 1981, p. 23-28.
« Nouvelles explications de textes », *Action poétique*, n° 85, 3e trimestre 1981, [n.d.].
« Du renversement, de l'obstacle et du jour », *Action poétique*, n° 87, 1er trimestre 1982, [n.d.].
« Le travail en cours », *Création*, tome 1, 2e trimestre 1982, p. 95-98.
« Des feux c'est la nuit », *Action poétique*, nos 89-90, 4e trimestre 1982, [n.d.].
« Des feux c'est la nuit », *Europe*, nos 645-646, janvier-février 1983, p. 180-182.
« Feuilles, tombées d'un discours », *Zéro limite*, n° 10, 1983, [n.d.].
« Feuilles, tombées d'un discours », *Térature*, n° 7, printemps 1983, [n.d.].
« Feuilles, tombées d'un discours », *Action poétique*, n° 93, 3e trimestre 1983, p. 64-70.
« Saisons en cause », *Action poétique*, nos 96-97, 3e trimestre 1984, [n.d.].
« Interventions d'une tulipe », *l'A.R.C.*, n° 131, juin 1984, [n.d.].
« Poèmes », *Europe*, nos 664-665, août-septembre 1984, 159-161.
« Suite pour des saisons », *Recueil*, n° 2, 1985, [n.d.].
« Pour cause d'ignorance », *Poésie 85*, n° 6, janvier-février 1985, [n.d.].
« Hypnagogiques », *La Revue de Belles-Lettres*, nos 3-4, 1986, [n.d.].
« Interventions d'une tulipe », *Action poétique*, n° 105, 3e trimestre 1986, p. 43-51.
« Éloge d'un enchantement », *Action poétique*, n° 106, 4e trimestre 1986, p. 2-7.
« Résurgence », *Revue de la Bibliothèque Nationale*, n° 25, automne 1987, [n.d.].
« Lecture première », *Sud* [hors série], 1987, p. 9-20.
« En noir et vert », *Action poétique*, nos 113-114, 3e trimestre 1988, p. 6-10.

b) Essais et autres textes

« Poésie et poésie populaire », *Yggdrasill*, février 1937, [n.d.].
« Haï-Kaï de Bashô », *Yggdrasill*, mai 1937, [n.d.].
« Concision et poésie », *Yggdrasill*, juillet-août 1937, [n.d.].
« Credo et chant de René Ghil », *Yggdrasill*, juillet-août 1939, [n.d.].
« Rimbaud le solitaire », *Le pont Mirabeau*, n° 4, avril 1939, [n.d.].
« L'amour unique de Maurice Scève », *Confluences*, n° 30, 1944, [n.d.].
« Sur le langage littéraire », *Soutes*, n° 1, octobre 1952, [n.d.].
« L'absent de lui-même », *Le Disque vert*, n° 4, novembre-décembre 1953, [n.d.].
« Lettres à Guillevic », suivi de « Suite en formation », *Europe*, n° 111, mars 1955, [n.d.].
« Poètes qui me sont chers », *Marginales*, n° 46, février 1956, [n.d.].
« L'unité poétique de Franz Hellens », dans *Le dernier Disque vert. Hommage à Franz Hellens*, Paris, Albin Michel, 1957, p. 178-182.
« Le lyrisme au XVIIème siècle », dans Raymond Queneau (dir.), *Histoire des littératures*, tome 3, Paris, Gallimard, coll. « Bibliothèque de la Pléiade », 1958, p. 329-395.
« Ces poètes… », *Action poétique*, n° 8, décembre 1959, [n.d.].
« Fantômas et le phénomène de la destruction », *Critique*, n° 197, octobre 1963, p. 835-856.
« Débat sur la poésie avec Jean Tortel, Marcellin Pleynet, Eduardo Sanguinetti, Michel Foucault, Philippe Sollers, Jean-Louis Baudry, M. Durry, Jean-Pierre Faye », *Tel Quel*, n° 17, printemps 1964, p. 68-82.
« *Plages de Thulé*, de Jean Laude », *Nouvelle Revue Française*, n° 149, mai 1965, p. 922-924.
« *Appareil de la terre*, de Jean Follain », *Nouvelle Revue Française*, n° 151, juillet 1965, p. 138-140.
« Robert Desnos aujourd'hui », *Critique*, n°s 219-220, août-septembre 1965, p. 718-737.
« Le second cycle de Guillevic », *Critique*, n° 233, octobre 1966, p. 818-821.
« *Au pas feutré du songe*, d'Emmanuel Lochac », *Nouvelle Revue Française*, n° 177, septembre 1967, p. 513-515.
« Vingt ans de poésie », *Revue d'esthétique*, n° 4, 1967, p. 388-404.
« Critique d'un langage », *L'Éphémère*, n° 7, automne 1968, [n.d.].
« Qu'est-ce que la paralittérature ? », *Entretiens sur la paralittérature*, Paris, Plon, 1970, p. 7-25.
« Malrieu, ici », *Action poétique*, n° 66, 2e trimestre 1976, [n.d.].
« Phrase », *Bulletin Orange Export Ltd.*, n° 7, 31 décembre 1976, [n.d.].
« Réveiller les mythes », *Sud*, n° 20, 1er trimestre 1977, p. 45-55.
« Ponge qui n'a de cesse », dans Philippe Bonnefis et Pierre Oster [dir.], *Ponge inventeur et classique, Colloque de Cerisy-la-Salle*, Paris, UGE, coll. « 10/18 », 1977, p. 16-33.
« Garsenda et Gui de Cavaillon », *Action poétique*, n° 75, 3e trimestre 1978, p. 38-39.
« La mise en acte de la perte du sujet », *Critique*, n° 372, mai 1978, p. 526-527.
« Tristan et la figuration de l'astre », *Argile*, n°s 19-20, été-automne 1979, [n.d.].
« Pour approcher de Marbeuf », préface à Pierre de Marbeuf, *Le Miracle d'amour*, Paris, Obsidiane, coll. « Le domaine privé », 1983, [n.d.].

« Pour présenter Tristan », *Cahiers Tristan L'Hermite*, n° 5, Mortemart, René Rougerie, 1983, [n.d.].
« [Préface] », dans Jean-Luc Steinmetz, *Ni même*, Chavagne, Ubacs, 1986, [n.d.].
« Ronsard et la prédominance », *Europe*, nos 691-692, novembre-décembre 1986, p. 43-47.
« Le monostiche », *Action poétique*, n° 105, 3e trimestre 1986, p. 2-3.
« Toursky et le commencement du désert », dans Paul Lombard, *Toursky*, Paris, Seghers, coll. « Poètes d'aujourd'hui », n° 251, 1986, p. 27-39.
« Derniers fragments. 1986 », *Cahiers de la Bibliothèque littéraire Jacques Doucet*, n° 2, 1999, p. 34-43.

4. Entretiens

Caizergues, Pierre, « Entretien de Pierre Caizergues avec Jean Tortel », *Que Vlo-Ve ?*, 2e série, n° 11, juillet-septembre 1984, p. 7-18.
Deluy, Henri, « Le discours des yeux », *Révolution*, n° 123, 9-15 juillet 1982, [n.d.].
—, « Entretien avec Jean Tortel », dans Raymond Jean, *Jean Tortel*, Paris, Seghers, coll. « Poètes d'aujourd'hui », n° 247, 1984, p. 53-78.
Giraudon, Liliane, « Entretiens avec Jean Tortel », dans *Espaces et déplacements corporels dans l'œuvre de Jean Tortel*, thèse de 3e cycle, Aix-en-Provence, Université de Provence-Centre d'Aix, 1976, p. 14-102.
Kochmann, René, « Entretien avec Jean Tortel », *Europe*, nos 729-730, janvier-février 1990, p. 140-147.
Nash, Suzanne, « Entretien de Jean Tortel », *Po&sie*, n° 29, 1984, p. 90-106.

II - ÉTUDES

1. Numéros spéciaux et hommages

Sud, n° 17, 4e trimestre 1975. Textes de Pierre Chappuis, Liliane Giraudon, Raymond Jean, Jean-Luc Steinmetz et Jean Tortel.
Clancier, Guillevic, Tortel, Marseille, Sud, coll. « Colloques Poésie – Cerisy », 1983. Textes de Gérard Arseguel, Anne Clancier, Gil Jouanard, Jean Tortel et Alain Veinstein.
Action poétique, nos 96-97, 3e trimestre 1984. Textes de Gérard Arseguel, Jean-Pierre Balpe, Pierre Chappuis, Georges-Emmanuel Clancier, Alain Coulange, Luc Decaunes, Françoise de Laroque, Henri Deluy, Charles Dobzinski, André du Bouchet, Jacques Dupin, Claude Esteban, Liliane Giraudon, Jean-Marie Gleize, Joseph Guglielmi, Eugène Guillevic, Philippe Jaccottet, Raymond Jean, Gil Jouanard, Jean Laude, Georges Mounin, Suzanne Nash, Gilles-Daniel Percet, Antonio Ramos Rosa, Lionel Ray, Maurice Regnaut, Mitsou Ronat, Jacques Roubaud, Robert Sabatier, Jean-Luc Sarré, Jean-Luc Steinmetz, Jean Todrani, Jean Tortel et Bernard Vargaftig.
Europe, nos 729-730, janvier-février 1990. Textes de Gérard Arseguel, Henri Deluy, Charles Dobzynski, Marion Galichon, Emmanuel Hocquard, René Kochmann, Daniel Leuwers, Yves Peyré, Jean-Luc Steinmetz, Jean-Max Tixier, Jean Tortel, Bernard Vargaftig, Véronique Vassiliou et Alain Veinstein.

Courrier du Centre international d'études poétiques, nº 204, octobre-décembre 1994. Textes de Gérard Arseguel, Francis Cohen, Alain Pallier et Catherine Soulier.

2. Livres

Arseguel, Gérard, *Le regard écrit. Poétiques de Jean Tortel*, Marseille, André Dimanche, coll. « Ryôan-ji », 1997.

Jean, Raymond, *Jean Tortel*, Paris, Seghers, coll. « Poètes d'aujourd'hui », nº 247, 1984, 206 p.

Michel, Jacqueline, *Jouissance des déserts dans la poésie contemporaine. Chédid, Dupin, Jabès, Jaccottet, Gaspar, Tortel*, Paris, Lettres Modernes Minard, coll. « Archives des Lettres Modernes », nº 270, 1998, 120 p.

Soulier, Catherine [dir.], *Jean Tortel. L'œuvre ou vert*, Montpellier, Université Montpellier III, 2001, 119 p. Textes de Gérard Arseguel, Jean-Marie Gleize, Raymond Jean, Catherine Soulier, Jean-Luc Steinmetz, Jean Tortel et Jean Todrani.

3. Articles et chapitres de livre

Adelen, Claude, « La poésie des années quatre-vingt », *Lendemains*, vol. 14, nº 54, 1989, p. 30-47.

Alyn, Marc, « Jean Tortel », dans *La nouvelle poésie française*, Paris, Robert Morel éditeur, 1968, p. 239-240.

Arnold, Stephen H., « Jean Tortel. *Instants qualifiés* », *Book Abroad*, vol. 48, nº 2, printemps 1974, p. 329-330.

Arseguel, Gérard, « L'expérience originelle chez Jean Tortel », *Critique*, nº 224, janvier 1966, p. 60-67.

—, « Genèse et littéralité », *Manteia*, nº 1, 1967, p. 19-25.

—, « Jean Tortel : le regard écrit », *Critique*, nº 426, novembre, 1982, p. 977-980.

—, « Jean Tortel aux *Cahiers* », dans *Jean Ballard et les* Cahiers du Sud, Marseille, Jean-Michel Place / Ulysse Diffusion, 1993, p. 21-22.

—, « Disques bleus », *Action poétique*, nº 131, 2e trimestre 1993, p. 3-5.

Bigongiari, Piero, « Jean Tortel, un regard qui s'obscurcit », *Cahiers du Sud*, nº 361, juin-juillet 1961, p. 446-453.

Bourassa, Lucie, « Le vers paradoxal de Jean Tortel », dans *Rythme et sens. Des processus rythmiques en poésie contemporaine*, Montréal, Balzac, coll. « L'univers des discours », 1993, p. 223-275.

Broda, Martine, « Tortel au-delà de la transparence », *Critique*, nº 404, janvier 1981, p. 31-39.

Brouillette, Marc André, « Les marges en cause chez Jean Tortel », dans *La Marge*, Toronto, Études françaises – Université de Toronto, 1997, p. 103-117.

—, « L'expérience du blanc dans *Les saisons en cause* de Jean Tortel », *Protée*, vol. 25, nº 3, 1997, p. 86-94.

—, « De la monstration à l'évocation : parcours spatial dans la poésie de Jean Tortel », *Littératures*, nº 16, 1er trimestre 1997, p. 111-124.

Caizergues, Pierre, « Dans le jardin de Jean Tortel », *Que Vlo-Ve ?*, 2e série, nº 11, juillet-septembre 1984, p. 5-6.

Chappuis, Pierre, «Jean Tortel. *Le discours des yeux*», *La Revue de Belles-Lettres*, vol. 105, n°s 2-3, 1982, p. 107-108.

Clancier, Georges-Emmanuel, «Poètes du silence, de l'image et du verbe», *Mercure de France*, n° 1168, décembre 1960, p. 671-673.

—, «*L'amour unique de Maurice Scève*, par Jean Tortel», *Cahiers du Sud*, n° 365, février-mars 1962, p. 131-132.

—, «Lettre à un jeune poète exemplaire, Jean Tortel», dans *Dans l'aventure du langage*, Paris, Presses Universitaires de France, coll. «Écriture», 1987, p. 208-210.

Cluny, Claude-Michel, «Note sur *Les villes ouvertes*», *Nouvelle Revue Française*, n° 149, mai 1965, p. 921-922.

Cohen, Francis, «Jean Tortel», *La Quinzaine littéraire*, n° 621, avril 1993, p. 31.

—, «La chute renversée», *Critique*, n°s 555-556, août-septembre 1993, p. 537-545.

Colombat, André Pierre, «Jean Tortel. *Précarités du jour*», *French Review*, vol. 66, n° 4, mars 1993, p. 694-695

Decaunes, Luc, «*La mort de Laurent*, par Jean Tortel», *Cahiers du Sud*, n° 291, 2e semestre 1948, p. 370-374.

—, «Jean Tortel ou les mots tels qu'ils sont», *Synthèses*, n° 220, septembre 1964, p. 276-290. Repris dans *Poésie au grand jour. Regards sur la poésie contemporaine*, Seyssel, Champ Vallon, coll. «Champ poétique», 1982, [n.d.].

Deluy, Henri, «Un mot de plus et je…», *Action poétique*, n°s 89-90, 4e trimestre 1982, p. 146.

Dobzynski, Charles, «Jean Tortel», *Europe*, n°s 664-665, août-septembre 1984, p. 159-162.

—, «Les Émerveilleurs. Jean Tardieu, Jean Tortel», *Europe*, n°s 686-687, juin-juillet 1986, p. 180-184.

—, «Cartes sur table. Francis Ponge, Jean Tortel», *Europe*, n° 755, mars 1992, p. 183-189.

Dubrunquez, Pierre, «Jean Tortel, la mesure et le vertige», *Poésie 85*, n° 6, janvier-février 1985, [n.d.].

Giraudon, Liliane, «J. T. 1904-1993», *Action poétique*, n° 131, 2e trimestre 1993, p. 6-9.

Gros, Léon-Gabriel, «*Votre future image*, par Jean Tortel», *Cahiers du Sud*, n° 213, février 1939, p. 161-162.

—, «Jean Tortel ou le bonheur du poète», *Cahiers du Sud*, n° 250, novembre 1942, p. 62-69. Repris dans *Poètes contemporains*, Marseille, Sud, 1988, p. 278-286.

—, «Jean Tortel et la passion de l'exactitude», *Cahiers du Sud*, n° 365, février-mars 1962, p. 110-114.

Guglielmi, Joseph, «Jean Tortel ou la seconde vue», *Cahiers du Sud*, n° 385, novembre-décembre 1965, p. 324-327.

—, «Le déchirement des limites», *La Quinzaine littéraire*, n° 140, 1er mai 1972, p. 14.

—, «Clouer l'anthèse lyrique», *Critique*, n° 269, octobre 1969, p. 879-887.

Jaccottet, Philippe, «Comme si je portais des fleurs», *Nouvelle Revue Française*, n° 89, mai 1960, p. 938-944. Repris dans *L'Entretien des muses*, Paris, Gallimard, 1968, p. 159-172

—, « Au jardin de Tortel », *Nouvelle Revue Française*, n° 200, août 1969, p. 266-270. Repris dans *Une transaction secrète. Lectures de poésie*, Paris, Gallimard, 1987, p. 249-259.

—, « Au seuil du grand âge », *Action poétique*, n°s 96-97, été-automne 1984, p. 116-118. Repris dans *Une transaction secrète. Lectures de poésie*, Paris, Gallimard, 1987, p. 225-259.

Jean, Raymond, « Voix/corps/écriture », *Sub-stance*, n°s 5-6, hiver-printemps 1973, p. 101-103.

—, « Sur Tortel », dans *Pratique de la littérature. Roman/poésie*, Paris, Seuil, coll. « Pierres vives », 1978, p. 201-211.

Kochmann, René, « Dès que la parole fait objet… ; cinq approches du texte tortellien », *Sud*, n° 9, 1973, p. 97-109.

Lartigue, Jean, « *Le mur du ciel*, par Jean Tortel », *Cahiers du Sud*, n° 284, 2e semestre 1947, p. 687-688.

Laude, Jean, « Jean Tortel, la parole et l'objet », *Critique*, n°s 171-172, août-septembre 1961, p. 697-709.

Leuwers, Daniel, « Jean Tortel. *Le discours des yeux* ; *Les solutions aléatoires* ; *Feuilles, tombées d'un discours* », *Nouvelle Revue Française*, n° 387, avril 1985, p. 73-75.

—, « Jean Tortel toujours neuf », dans *L'Accompagnateur. Essais sur la poésie contemporaine*, Marseille, Sud, 1989, p. 41-50.

Lovichi, Jacques, « Jean Tortel. *Le trottoir de trèfle* », *Sud*, n° 66, 4e trimestre 1986, p. 190-191.

Malrieu, Jean, « Jean Tortel et la recherche de la parole », *Cahiers du Sud*, n° 321, janvier 1954, p. 308-314.

—, « Pratique de la poésie quotidienne », *Cahier du Sud*, n° 359, février-mars 1961, p. 140-144.

—, « Lettre à Jean Tortel », *Manteia*, n° 1, 1967, [n.d.].

Marcel, L.-A., « Autour d'une poétique », *Cahiers du Sud*, n° 330, 1er semestre 1955, p. 285-300.

Marissel, André, « Jean Tortel », dans *Littérature de notre temps*, Paris, Casterman, 1970, [n.d.].

Maulpoix, Jean-Michel, « Écrit dans le moindre » suivi de « Les 80 ans de Jean Tortel », *La Quinzaine littéraire*, n° 428, novembre 1984, p. 17.

Moorhead, Andrea, « *Relations*, Jean Tortel », *Osiris*, n° 2, 1973, [n.d.].

—, « *Instants qualifiés*, Jean Tortel », *Osiris*, n° 3, 1974, [n.d.].

Mourot, Michel, « Jean Tortel », *Équinoxe*, n° 2, juin 1964, [n.d.].

Nash, Suzanne, « Living Transcription : The Poetry of Jean Tortel », dans *Studies in 20th Century Literature*, vol. 13, n° 1, hiver 1989, p. 27-42.

Noël, Bernard, « *Le discours des yeux* », *Action poétique*, n°s 89-90, 4e trimestre 1982, p. 124-137.

Noulet, Émilie, « Note sur *Les villes ouvertes* », *Synthèses*, n° 238, mars 1966, p. 287-289.

—, « Regards sur la littérature », *Critique*, n° 238, mars 1967, p. 399-402.

Pailler, Alain, « Tortel par Tortel », dans Giovanni Dotoli [dir.], *Poésie méditerranéenne d'expression française 1945-90*, Paris/Fasano, Nizet/Shena, coll. « Biblioteca della Ricerca. Cultura straniera », n° 38, 1991, p. 95-105.

—, « Tortel aux Jardins neufs : figures d'un dés-astre », *Courrier du Centre international d'études poétiques*, n° 197, janvier-mars 1993, p. 5-17.

Percet, Gilles-Daniel, « Quelques notes, regard… », *Action poétique*, n°s 89-90, 4e trimestre 1982, p. 145.

Roubaud, Jacques, « Lignes vers Jean Tortel », *Action poétique*, n° 109, 3e trimestre 1987, p. 83.

Sabatier, Robert, « Jean Tortel », dans *La poésie du XXe siècle*, tome 3 : « Métamorphoses et modernité », Paris, Albin Michel, 1988, p. 44-48.

Saisselin, R. G., « Jean Tortel. *Instants qualifiés* », *French Review*, vol. 48, n° 4, mars 1975, p. 808.

Soulier, Catherine, « Introduction », *Cartes blanches*, n° 1, septembre 2000, p. 9-13.

—, « Jean Tortel "sur la ligne de l'ombre". *Précarités du jour* », *ibid.*, p. 59-77.

—, « Chantier de fouille et de mémoire », *ibid.*, p. 213-226.

—, « Dans la limite de deux regards qui… Jean Tortel et Saint-John Perse », dans Catherine Mayaux [dir.], *Modernité de Saint-John Perse ?*, Besançon, Presses universitaires francomtoises, coll. « Annales littéraires de l'Université de Franche-Comté », n° 716, série « Centre Jacques-Petit », vol. 96, 2001, p. 319-333.

Steinmetz, Jean-Luc, « L'émotion et l'exactitude », dans *La poésie et ses raisons*, Paris, José Corti, 1990, p. 247-255.

—, « Jean Tortel », dans Michel Jarrety [dir.], *Dictionnaire de poésie de Baudelaire à nos jours*, Paris, Presses Universitaires de France, 2001.

Tixier, Jean-Max, « Jean Tortel ou l'écriture différentielle », *Courrier du Centre international d'études poétiques*, n°s 121-122, novembre-décembre 1977, p. 3-10.

—, « *Didactiques*, par Jean Tortel », *Sud*, n°s 28-29, 1er trimestre 1979, p. 179.

—, « *Le discours des yeux*, par Jean Tortel », *Sud*, n°s 53-54, septembre 1984, p. 142-143.

Todrani, Jean, « Sens de la mire : Jean Tortel », *Action poétique*, n°s 113-114, 3e trimestre 1988, p. 201-203.

Velay, Serge, « Jean Tortel. *Arbitraires espaces* », *La Quinzaine littéraire*, n° 477, janvier 1987, p. 15.

Verhesen, Fernand, « Un pan de transparence : Jean Tortel », *Cahiers du Refus*, n° 2, mai 1962, [n.d.].

4. Thèses

Assad, Ali, *La poétique de Jean Tortel. Pour une lecture pragmatique*, thèse de doctorat nouveau régime, Paris IV, 1998, [n.d.].

Giraudon, Lilianne, *Espaces et déplacements corporels dans l'écriture de Jean Tortel*, thèse de 3e cycle, Aix-en-Provence, Université de Provence-Centre d'Aix, 1976, [n.d.].

Pallier, Alain, *Figures d'un monde végétal. Approches de Jean Tortel*, thèse de 3e cycle, Montpellier, Université de Montpellier III, 1985, 323 p.

Vassiliou, Véronique, *Le vers dans quelques-uns de ses états. André du Bouchet, Bernard Vargaftig, Jean Tortel*, thèse de nouveau doctorat, Aix-en-Provence, Université de Provence I, 1989, 457 p.

Exercices de lecture

Errances interdites : la criminalité au féminin dans *L'astragale* d'Albertine Sarrazin

KARIN SCHWERDTNER

Sans doute en raison d'une sensibilité croissante à la condition des femmes dans la société, la question de l'errance au féminin est devenue un thème important des romans contemporains publiés en France[1]. Or, le concept de l'errance recouvre non seulement la mouvance, entendue comme une errance physique, mais aussi l'infidélité, tenue pour une errance morale[2], et la folie, prise comme une errance mentale[3], entre autres idées connotant la déviation par rapport à une norme ou un idéal. Dans les représentations historiques, par exemple, de l'aventurier du genre brigand, l'infraction judiciaire s'ajoute au mouvement spatial pour poser une problématique d'autant plus intéressante qu'elle recouvre deux manifestations de l'errance, à savoir la mobilité et la criminalité.

Dans cette étude, nous nous proposons de considérer ce double questionnement de la mouvance et de la transgression, en faisant appel aux considérations de la causalité, du déplacement, des relations sociales, et de l'énonciation. Car il nous importe de savoir en quoi, et à quelles

1. Pour nous en convaincre, il suffit de considérer la position centrale accordée à la femme mobile dans *Le vice-consul* de Marguerite Duras, *La femme au petit renard* de Violette Leduc, *Voyages de l'autre côté* de J.M.G. Le Clézio, *Shérazade* de Leïla Sebbar, *N'zid* de Malika Mokeddem, et *Desirada* de Maryse Condé.

2. Voir sur la question de l'errance morale au féminin : Catherine Cusset, « Errance et féminité au 18e siècle : de *Manon Lescaut* aux *Amours du chevalier de Faublas* », *Elseneur*, n° 7, juin 1992.

3. Pour une discussion sur l'aliénation mentale en littérature, consulter par exemple Sylvie Milliard, « L'errant magnifique : d'Edmond Dantès au Comte de Monte-Cristo », *Elseneur*, n° 7, juin 1992.

fins significatives, la femme ambulante peut réaliser ce qui se présente classiquement comme une activité masculine[4] : la truanderie. La question est d'autant plus intéressante qu'il n'existe aucune tradition occidentale littéraire[5] de l'errance au féminin[6], le brigandage étant par convention « le mode de délinquance du garçon[7] » : nous cherchons donc à déterminer comment l'héroïne du roman contemporain est apte à percevoir et à communiquer ses déplacements et ses crimes.

Le roman que nous retenons pour notre analyse, *L'astragale*[8] d'Albertine Sarrazin, offre une représentation pertinente et frappante d'une truande errante qui se fait sujet du discours. Au lieu de permettre à autrui — et notamment à un homme — de spéculer sur ses expériences vécues, la protagoniste nommée Anne insiste pour exprimer son point de vue relatif à ses errances. En nous attachant à l'héroïne de *L'astragale*, nous pouvons donc examiner la mobilité et l'infraction depuis une perspective purement féminine.

Pour autant que ce roman nous montre le point de vue d'un personnage féminin, la perspective de l'auteure s'impose également. C'est que dans cette œuvre d'apparence autobiographique[9], une très grande affinité s'établit entre Anne la protagoniste et Albertine l'écrivaine. En vérité, les expériences d'errance et de transgression racontées au fil du récit font écho à celles vécues par Albertine Sarrazin entre son évasion de prison et son retour. Si ensuite Albertine prend la plume dans une

4. La femme qui choisit la truanderie comme mode de vie « est nécessairement, selon la théorie [traditionnelle], non-femme et masculine par essence » (« *must, according to the [traditional] theory, be in essence non-woman, masculine* », Pat Carlen [dir.], *Criminal Women*, Cambridge, Polity Press, 1985, p. 2, nous traduisons).

5. Dans la littérature américaine, par exemple, « il n'existe aucune convention littéraire [d'errance au féminin], à part celle de la fille tombée/abandonnée ou de l'héroïne masculinisée des romans de quatre sous ». (« *[T]here is no literary convention [of female vagrancy], apart from that of the fallen woman/abandoned woman or of the masculinized dime novel heroine* ». Jacqui Smyth, *Other Frontiers : Female Vagrants and Mother Outlaws in American Literature and Film of the 1980s*, thèse de doctorat, University of Western Ontario, 1995, p. 8, nous traduisons).

6. Nous pouvons nommer quelques cas exceptionnels — particulièrement, au 18e siècle, *Manon Lescaut* et *Moll Flanders* — où la femme errante revêt le statut d'héroïne.

7. P. Georges Heuyer, *La délinquance juvénile*, Paris, Presses universitaires de France, 1969, p. 112.

8. Albertine Sarrazin, *L'astragale*, Paris, Jean-Jacques Pauvert, 1965. Dorénavant désigné à l'aide du sigle (*A*), suivi du numéro de la page.

9. Selon la page couverture de notre édition, *L'astragale* est un roman. Comme plusieurs critiques l'ont pourtant remarqué, il s'agit d'un roman « d'apparence autobiographique » (Elissa Gelfand, *Imagination in Confinement*, 1983) dans la mesure où Sarrazin a pris la plume en prison pour trouver, dans la représentation fictionnelle de ses transgressions passées, une façon de rester en liberté au cœur même du système carcéral (voir la note 51).

institution carcérale en France, avec l'intention de faire publier son histoire chez un éditeur parisien renommé, Anne en fait implicitement de même, en relatant au « je » ses activités passées. Or, puisque les femmes délinquantes, selon la tradition, « ne sont pas vues par la société française comme des martyres, mais comme des rebelles[10] » et que « l'administration pénitentiaire préfère les individus passifs, repentants, et dociles[11] », la venue à l'écriture d'Albertine la prisonnière est jugée comme un acte d'insubordination. Cela dit, il n'est pas surprenant que la parution de *L'astragale* en 1965 ait provoqué une grande hostilité de la part des médias et du public.

Face à la perception sociale de la criminalité au féminin, et plus précisément du discours carcéral féminin, plusieurs questions se posent sur l'errance féminine dans son inscription littéraire. Pourquoi la femme s'adonne-t-elle à une errance criminelle ? Quels effets de sens se dégagent de ses déplacements et de ses pauses ? Quelle est la nature des relations entre la délinquante et autrui, puis quelles en sont les conséquences pour l'héroïne ? Enfin, en quoi et à quelles fins la criminelle errante prend-elle la parole ? Pour répondre à ces questions, passons à l'étude d'Anne la truande, depuis la nuit de son évasion de prison jusqu'au jour de sa capture.

La recherche du mieux-être

Telle qu'elle se présente, l'héroïne de *L'astragale* est une jeune femme célibataire qui ne possède aucune maison ou résidence fixe. Son abri temporaire a beau être confortable, elle finit tôt ou tard par le quitter pour se rendre sur des lieux publics. Comme femme errante, Anne « rêv[e en outre] de ligotage, braquage, opération-surprise » (*A*, 146) pour rechercher, de sa propre volonté, l'écart des règles localement admises. Même si elle trouve la sécurité matérielle et financière grâce à son amant Julien, lui aussi brigand, puis chez son client Jean qui se veut son protecteur durant l'absence du premier, il lui faut toujours « reprendre [s]a route » (*A*, 125) pour « réaliser des fins que visent la plupart des hommes : l'excitation, la possession, la défense de ses intérêts, la domination[12] ». En rêvant de parcours et de crimes, elle cherche également à éviter « les attachements et les servilités forcenées » (*A*, 187-188) qui

10. Anna Norris, « Parole interdite », *The French Review*, vol. 73, n° 3, 1998, p. 425.
11. *Ibid.*, p. 433.
12. Maurice Cusson, *Délinquants pourquoi ?*, Montréal, Bibliothèque québécoise, 1989 [1981], p. 16.

composent pour elle une existence de contraintes douloureuses ou de devoirs conjugaux. Sa mobilité a donc pour mobile la quête de son « mieux-être » (*A*, 32), voire d'une intense impression de plaisir ou de satisfaction générale dans la poursuite d'activités et de relations défendues par les lois sociales et judiciaires du pays.

Pour nous en convaincre, nous n'avons qu'à considérer l'évasion de prison au commencement du récit. Anne se trouve enfermée dans une maison de correction où elle paie ce qu'elle appelle avec délices ses « mauvaises relations » (*A*, 107) et ses « mauvais coups » (*A*, 107) par des tâches ménagères et par de petits travaux de couture. Étant donné sa condition de femme incarcérée, il n'est point surprenant qu'elle cherche à s'évader illicitement. L'essentiel de notre argument demeure donc dans le fait que derrière la notion de fuite se cache le désir de « recommencer à errer » (*A*, 125) et surtout, insistons sur ce point, celui de commettre elle-même des infractions à la loi. Quand, en effet, Anne s'oriente vers la liberté, elle cherche l'intensité des « aventures » solitaires. Seules les entreprises solitaires et risquées lui permettent d'éprouver des jouissances et de s'approprier le pouvoir, selon un désir de « profiter de la vie et [de] ne pas se laisser faire[13] ». Dans ce cas, il n'est pas question d'attendre le jour de sa libération. Il lui faut même la voie la plus rapide et la plus dangereuse pour sortir de prison. Dans un effort pour retrouver au plus vite son existence d'avant son arrestation, elle renonce à l'idée de descendre « la pente douce de l'autre côté des remparts » (*A*, 6), en faveur de celle de sauter par-dessus le haut mur pour se casser un os de la cheville portant le nom « astragale ».

Sur la base de ce goût pour le péril ou de ce refus de la passivité, remarquons une « affinité totale » (*A*, 25) entre la protagoniste et le brigand nommé Julien qui la recueille au bord de la route côtoyant la prison, conscient des dangers que peut lui faire courir une assistance aussi audacieuse. Il n'y a d'ailleurs qu'un pas à faire entre l'affinité et l'amour, tellement la première vient déterminer le second dans le cas particulier d'Anne et de Julien.

En vérité, l'héroïne n'est pas seule dans le roman à exiger la jouissance intellectuelle, sexuelle et affective. Elle n'est pas non plus seule à rechercher l'action. Elle ne commet cependant pas, il faut le préciser, de crimes contre l'individu, tel en particulier l'assassinat. Au contraire, elle fait appel à ses pouvoirs d'observation et de renseignement, à son charme et à ses connaissances acquises sur le genre masculin, pour

13. *Ibid.*, p. 36.

mêler le vol à la prostitution[14] et à l'escroquerie. Dans ces circonstances, son errance criminelle se conjugue moins avec la violence et la brutalité souvent attribuées au brigand homme, qu'avec le savoir, l'intuition et le pouvoir de séduction dont elle fait preuve au cours de ses aventures.

Le progrès et le recul[15]

Dans la mesure où Anne se place volontairement en opposition à un certain ordre judiciaire et social, nous ne pouvons guère omettre de signaler sa « peur du gendarme », et par extension, sa crainte de l'immobilité et de l'ennui derrière les murs épais. Ce sont cependant là des conditions auxquelles elle doit faire face, lorsque, pour permettre la résurrection (*A*, 44) de sa cheville après sa chute, elle est hospitalisée, puis confinée à une série de cachettes qui lui rappellent la prison. Tout comme en geôle, Anne se trouve « figée dans une frigidité douloureuse » (*A*, 43) sous l'impact des règles d'une vie structurée et des obstacles empêchant le libre mouvement. C'est donc chose entendue, l'errance, telle que représentée dans ce roman en particulier, s'inscrit dans un rapport dynamique avec la restriction de la mobilité.

En effet, Anne n'est pas toujours animée du même mouvement. Il arrive, même, qu'elle ne s'anime pas du tout. Au début de son séjour en résidence, par exemple, Anne est condamnée au repos, la cheville gonflée ne lui permettant pas de marcher. Puisqu'il lui faut toutefois « une certaine dose d'activité, de stimulations, de stress et même de frustrations[16] », elle entreprend de clopiner autour de son lit pour ainsi recourir au genre de mouvement qui tourne sur lui-même. Comme Anne redoute que « le repos [ne] recule » (*A*, 192), elle emploie le même mouvement cyclique après l'opération à l'hôpital. Elle apprend à sautiller sur des béquilles au sein de la maison de ses receleurs, se fixant comme horizon le moment où elle pourrait de nouveau « [s]'élancer n'importe où pour y faire n'importe quoi » (*A*, 125). En vertu de la logique selon laquelle la danse en rond signifie un désir qui tourne à vide pour entraîner la régression physique, intellectuelle et affective[17],

14. En France à l'époque, la prostitution est défendue aux filles n'ayant pas atteint l'âge de vingt et un ans.

15. Les oppositions binaires (rue /prison, progrès /recul) se rattachant au conflit entre la liberté et l'emprisonnement nous invitent à étudier le binarisme utopie /dystopie.

16. Maurice Cusson, *op. cit.*, p. 123.

17. Voir Xavière Gauthier, « La danse, le désir », *Cahiers Renaud-Barrault*, n° 89, 1975, p. 27.

la démarche circulaire de l'héroïne fait ressortir son impuissance et sa démoralisation face au besoin de «[p]artir, retrouver l'air, chanter» (*A*, 125).

Il est vrai que la protagoniste circule à l'intérieur des limites du Milieu (du quartier galant de Paris) pour produire un mouvement en apparence giratoire. Si toutefois nous regardons de près ce mouvement, nous observons qu'Anne «ne flâne pas» (*A*, 131). Comme elle possède de plus en plus les forces pour «cavale[r] comme un lapin» (*A*, 28), elle ne retourne pas de manière systématique dans un café ou dans une rue. Elle ne redoute «vraiment que la poulaille, [...] mais sans cesse [elle] change de rue, d'hôtel, d'allure» (*A*, 131). À ce moment-là, son errance correspond à une sorte de ligne qui se prolonge, conjoignant les espaces en les faisant venir l'un après l'autre en succession. Comme nous pouvons par ailleurs le croire, les pérégrinations évoquant un mouvement linéaire se relient à l'idée de la progression dans l'espace et vers une existence plus heureuse.

Pour illustrer en quoi ce parcours orienté signifie pour Anne un progrès, nous n'avons qu'à envisager ses modes de déplacement au-dedans de la maison. Car ces modes rappellent l'apprentissage de la marche[18] et la croissance de la confiance chez l'enfant. Étant incapable de poser le pied, après plusieurs années de «soumissions dans les gestes» (*A*, 52) suivies d'une évasion précipitée par-dessus le haut mur de la prison, la jeune femme commence tout doucement «en prenant pour départ des gestes le genou, roulant d'un côté et de l'autre, rampant sur place, appuyée sur les épaules» (*A*, 22). Graduellement, elle parvient à équilibrer son poids sur les deux jambes sans recourir aux béquilles, puis à lever le pied droit sans se projeter en avant sur le carreau. À force de faire de nombreux tours du Milieu, Anne réussit enfin à marcher toute seule et sans aide. Ayant par ailleurs imaginé que «[s]on destin était désormais de passer d'un lit à une banquette de voiture, d'une banquette à un lit» (*A*, 34), et donc de ne jamais connaître «[l]a vie dans les rues, l'obligation d'être constamment aux aguets, de décider vite, d'exercer sa force musculaire, son adresse[19]», elle prend un énorme plaisir à circuler sans appui, en répétant les exaltations : «Moi, je marche» (*A*, 131) ; «Ah ! moi... Je marche» (*A*, 131) ; «Je marche, Julien...» (*A*, 141).

18. Plus loin, dans notre étude des relations avec autrui, puis de la venue à l'écriture, nous reviendrons sur le motif de la «marche» tel qu'il s'inscrit dans le cadre de la théorie féministe.

19. Maurice Cusson, *op. cit.*, p. 124.

Si nous revenons en arrière pour rappeler le rapport dynamique entre l'errance et la restriction de la mobilité, voire entre la liberté et la geôle, il est clair qu'Anne s'inscrit dans un mouvement cyclique où il lui faut sans cesse recommencer à zéro après « plusieurs années de routine chronométrée » (*A*, 52) et de « soumissions dans les gestes » (*A*, 52). À peine accède-t-elle à une errance continue à travers l'espace qu'elle doit de nouveau faire face à l'immobilité, puis à la danse en rond, et enfin au réapprentissage « des actions pourtant les plus naturelles » (*A*, 52). Est-ce donc à dire que l'errance de la protagoniste s'effectue en vain ?

Comme nous l'avons déjà proposé, Anne voit tous les avantages d'une existence en rupture avec la sédentarité et le respect de l'ordre public. Même au prix de la punition, il vaut mieux courir que tenir. Si nous considérons maintenant que l'héroïne, en cherchant à faire durer autant que possible son séjour en dehors des murs carcéraux, accorde un *surcroît* de négativité à la condition de femme soumise, la constatation suivante s'impose : autant la jeune femme craint la régulation de ses mouvements et de son être, autant elle donne de la valeur à l'errance en ce qu'elle ne respecte aucune contrainte et aucune définition prescrite.

Relations antagonistes

Vue par la narratrice comme une transgression qui lui permet de satisfaire de nombreux désirs et de résoudre des problèmes très réels, l'errance criminelle prend invariablement une valeur positive dans *L'astragale*. Ainsi, le meilleur moyen pour analyser les relations sociales aptes à déterminer la conduite de l'héroïne est peut-être de s'attarder sur l'opposition catégorielle entre « errance » et « norme ». Entre les deux termes compris dans ce rapport, il n'y a en fait que de pures différences positionnelles. C'est dire que l'errance « n'exist[e] [comme déviation] que dans la mesure où les sujets l[a] construisent[20] » en tant que tel. Il s'ensuit que le contenu significatif, les caractéristiques ou les valeurs attribuées à la femme errante dépendent en partie de la manière dont les membres du groupe dominant l'appréhendent et la traitent.

Du point de vue de la société française dépeinte dans *L'astragale*, Anne est condamnée à être « l'anti-femme, l'anti-mère[21] » pour avoir basculé dans la délinquance. Au lieu de la décrire par ses délits, pour en

20. Éric Landowski, *Présences de l'autre*, Paris, Presses universitaires de France, 1997, p. 25.

21. Anna Norris, *loc. cit.*, p. 425.

quelque sorte valider son statut de femme criminelle, on souligne sa rupture avec le conservatisme et la sédentarité de l'univers domestique[22]. On retient aussi son opposition à la maternité. Car en refusant d'abandonner sa vie errante, Anne renonce aussi à l'idée d'avoir un enfant : « je n'aurais jamais de gosse de mère inconnue, ça non ! » (*A*, 170). Par contre, si nous nous replaçons dans la perspective de la protagoniste, nous voyons que cette dernière tient énormément à l'errance criminelle. Dans ces conditions, le traitement social de l'errante et les passions qui la motivent sont en étroite corrélation, elles se déterminent réciproquement. Plus on la prend en faute, plus elle tient à fréquenter la rue ; plus elle s'éloigne de la vie conservatrice pour suivre son désir de vivre intensément, plus on insiste pour la voir d'un mauvais œil.

Certes, dans ce roman, les autorités françaises et les citoyens défenseurs de l'ordre social ne tolèrent pas le crime chez l'homme, mais ils acceptent encore moins l'adolescente qui, en s'appropriant le mode de délinquance du garçon, transgresse non seulement la loi judiciaire contre le vol, mais aussi son apparent destin socio-sexuel ou biologique : « la femme criminelle fait violence non seulement à la société mais aussi à sa nature profonde, telle qu'elle est inscrite dans sa biologie[23] ». Selon leur logique, reconnaître la criminalité chez la femme, c'est tout d'abord lui attribuer une nature masculine ou anti-féminine. C'est tout d'abord la définir comme étant *imparfaite* ou *défectueuse*. Comme nous le verrons plus loin, seul son amant Julien — en tant qu'ardent partisan et défenseur de l'errance — arrive à concevoir Anne comme étant *pleinement* et *positivement* femme et truande. Même les différents receleurs ou les anciens taulards qui l'accueillent chez eux en connaissance de cause refusent d'entendre parler de sa délinquance. Ils lui interdisent de parler de ses aventures. Car, du point de vue social, « une honnête femme reste à la maison (du père ou du mari)[24] » : elle ne flâne surtout pas.

22. La société occidentale contemporaine ne trouve la femme capable que de petits délits, ce qui trahit un semblable préjugé « misogyne » : « Les femmes criminelles sont des délinquantes insignifiantes [...], incapables de vraie criminalité. Elles sont plutôt des criminelles occasionnelles, qui se laissent d'abord entraîner par des partenaires masculins dotés d'une volonté supérieure à la leur et se montrent par la suite si incompétentes dans la réalisation du crime qu'elles se font facilement arrêter » (« *Women criminals are petty offenders [...] not capable of true criminality. Instead, women are occasional criminals who are first led into crime by stronger-willed male partners and are then grossly incompetent in the performance of the felony and easily apprehended* », Pat Carlen, *op. cit.*, p. 2, nous traduisons).

23. « *The woman criminal offends not only against society but also against her true nature... as rooted in her biology* », *ibid.*, p. 2, nous traduisons.

24. Françoise du Sorbier, « L'errance et les héroïnes de Defoe », *Tropismes*, n° 5, 1991, p. 181.

Le fait que l'on critique l'héroïne à partir de ce qui lui fait défaut, de ce qu'elle n'est pas — pour mettre ainsi en relief son statut de femme qui s'est par malheur écartée du droit chemin — n'est pas innocent. De telles critiques se fondent sur le postulat selon lequel le « génie de la femme [...] est de son élément naturel casanier et conservateur[25] ». Autrement dit, l'errance féminine cacherait une disposition profonde à la sédentarité, à la passivité et à la maternité, disposition qu'il suffirait d'encourager pour que cessent les comportements « déviants ». Pour nous convaincre de ceci, nous n'avons qu'à considérer comment les surveillantes de la prison font apprendre aux détenues la couture et la cuisine, dans le but de faire de chacune « une grosse propre adoptable » (*A*, 186) par la société.

Ce point de vue sur la « fille tombée » est basé sur une image : l'image d'une sédentarité, et même d'une soumission féminine, « à préserver coûte que coûte dans son intégrité — mieux, dans sa *pureté* originelle[26] ». En fonction de cette image fixe posant la tradition comme une entité homogène devant rester immuable pour assurer le contrôle du pouvoir, « ce sont les femmes, individuellement, qui devraient changer — et non les structures sociales et politiques qui les enferment dans des rôles contraignants, des rôles d'exploitées[27] ».

Si la perspective sociale dominante se base sur une vision hypostasiée, nous ne pouvons toutefois pas décrire la réaction à la jeune errante comme une stratégie qui laisse entendre la possibilité d'une inclusion. Nous devons envisager plutôt une configuration où la jeune errante et la population des sédentaires conservateurs sont deux « contraires qui n'admettent entre eux ni conciliation ni chevauchement d'aucune sorte[28] ». Car la prise de position de l'héroïne est également fondée sur un idéal — l'idéal d'une errance et même d'une *in*soumission féminine à défendre coûte que coûte. Par rapport à cette image « verte et dorée » (*A*, 42) — qui pose l'agitation motrice et l'autonomie des gestes comme essentielles à la confiance en soi, au développement personnel, à la sécurité financière et à la jouissance charnelle et psychique —, les

25. C'est ainsi que la comtesse Puliga de Quigini critique la présence des femmes dans les lieux publics (Bénédicte Monicat, *Itinéraires de l'écriture au féminin : voyageuses du 19e siècle*, Amsterdam / Atlanta, Rodopi, 1996, p. 64).

26. Éric Landowski, *op. cit.*, p. 22.

27. « [...] *it is the individual women who should change — rather than the social formations which impose restrictive and exploitative roles upon all women* », Pat Carlen, *op. cit.*, p. 1, nous traduisons.

28. Éric Landowski, *op. cit.*, p. 66.

contraintes au mouvement imposées par la loi et la société ne peuvent que revêtir la forme d'une menace.

Il convient de nous rapporter au caractère récurrent de son mouvement de fuite pour voir comment la jeune errante affirme sa condition de rupture avec autrui. Comme France Théoret[29] le propose pour la femme en marche, Anne « est apparemment l'objet d'une poursuite perpétuelle, "vue" de la tête aux pieds et constamment suivie[30] ». Pourtant, en s'exerçant à apparaître et disparaître avec le silence et l'efficacité des ombres, l'héroïne parvient à échapper au poids écrasant des regards, tant ceux des détectives en civil qui aimeraient l'arrêter, que ceux des hommes qui désireraient la convaincre d'abandonner son errance pour se mettre en ménage. Comme autre manière d'affirmer son autonomie et son insaisissabilité, Anne accepte d'entrer en contact avec certains hommes ou de se prêter à des relations corporelles susceptibles de lui « profiter dans l'immédiat » (*A*, 44). Elle se garde cependant toujours de créer des rapports interpersonnels stables, car ce serait se soumettre aux individus et aux groupes dont elle redoute une certaine influence.

Si nous établissons le refus comme traitement habituel, nous devons par ailleurs mentionner l'exception qui ne peut être que significative pour la représentation de l'errance dans *L'astragale*. Nous pensons ici à la stratégie d'alliance ou de filiation qu'emploie Anne pour se rapprocher de Julien. Avant toutefois d'aborder son rapport à celui qui la soutient dans ses rêves de transgression, examinons la manière dont ce dernier se comporte à son égard.

Par contraste avec les citoyens conformistes, Julien ne cherche point à préserver les codes de conduite qui assurent le pouvoir aux diverses institutions autoritaires. Car il est lui-même un brigand errant, interdit de séjour dans le département où il rencontre Anne et où il accepte de la secourir en l'enlevant du bord de la route. Ayant établi sa rupture avec la loi, posons maintenant son refus de la norme dans sa façon de concevoir Anne. Au lieu de la traiter de « non-femme » en raison de son goût pour le vol, il la prend comme une force admirablement audacieuse, voire comme une beauté dont il ne peut s'empêcher de tomber amoureux.

Or, Julien « s'occupe gentiment, adroitement de l'amour » (*A*, 56) pour ne point encombrer la jeune criminelle de ses exigences totalitaires ou

29. France Théoret, *Nécessairement putain* (pour l'édition à laquelle nous nous référons, voir la note 35).

30. Karen Gould, « L'écrivaine/la putain ou le territoire de l'inscription féminine chez France Théoret », *Voix et images*, vol. 14, 1988, p. 35.

de ses «abandons possessifs» (*A*, 11) qui mettraient en question son besoin d'agir sans contrainte et de «prendre [s]oi-même» (*A*, 34) son plaisir dans le crime et dans les relations sexuelles. Si à la longue il proclame son amour dans une protestation du genre «[mes infidélités] tout ça c'est fini, il n'y a que toi» (*A*, 185), Julien ne lui impose aucunement la passivité de la condition «bouche close et souriante, oreille ouverte et complaisante» (*A*, 107). Il penche plutôt pour une continuation de leurs errances et de leurs poursuites respectives: «je ne sais pas où nous irons tous les deux, mais nous irons loin, longtemps» (*A*, 180). Ce dispositif vient assurer une valeur positive à Anne telle qu'elle est — la représentante d'une force de mouvement et d'une insoumission féminine: «je veux te présenter, telle que je te vois ce soir» (*A*, 180).

Devant le comportement de Julien, Anne ne se sent point menacée. Au contraire, elle estime que son «sauveur» reconnaît sa rage et son angoisse face aux contraintes d'une vie structurée. S'il tient à lui sauver la vie, à lui payer ses frais, puis à la faire échapper de toutes les prisons de brique que sont ses asiles successifs, c'est qu'«il daigne s'apercevoir que, tout autour de l'os, il y a une femme, un être indécoupable qui travaille et qui pense» (*A*, 62) et enfin qui agit dans la conscience de ses besoins les plus profonds.

Ce qui ressort de la perception d'Anne, c'est que Julien vient la soutenir dans son désir de vivre intensément et de s'amuser ferme. Au lieu de lui faire éprouver «son abandon, son insuffisance, sa dépendance, son impuissance[31]» devant les lois et les certitudes de son apparent destin socio-sexuel et biologique, il devient plutôt son complice dans ses aventures de fuite et de transgression. Quant aux sédentaires conservateurs formant la majorité de la population, ils s'opposent à son image verte et dorée de l'errance en persistant à maintenir «les structures sociales et politiques qui les enferment dans des rôles contraignants, des rôles d'exploitées[32]». Mais alors en quoi les divers rapports antagonistes et complémentaires dans lesquels Anne est engagée contribuent-ils à la signification de l'errance criminelle dans le roman?

Comme Anne refuse de se soumettre à autrui, insistant pour s'exprimer au «je» et parfois même au «nous» comme nous le verrons, une instance d'insurrection découle de sa condition de rupture avec le grand public. Anne est, certes, prête à frôler ou à effleurer les membres de la population dont elle est susceptible de tirer avantage. Elle est

31. Blaise Pascal, *Pensées*, Paris, Garnier, 1964, p. 108, §131.
32. Pat Carlen, *op. cit.*, p. 1. Voir note 27.

même prête à affirmer sa passion pour Julien et, par là, son orientation affective et sexuelle[33] qui ne dévie en rien de celle de la femme traditionnelle — pour brouiller la théorie sur la « masculinité » de la truande. Néanmoins, elle ne travaille point à préserver la convention sociale en cherchant « à savoir ce que l'on veut [lui] donner » (*A*, 34) ou l'obliger à faire. Au contraire, elle agit selon la conviction suivante : « tout m'est dû, mais j'aime prendre moi-même » (*A*, 34). Comprise en tant que déplacement féministe[34], son errance se transforme alors en « espace d'affirmation et de modulation au féminin[35] ».

En continuant à s'approprier « le droit à la vie d'exister conforme à l'image qu['elle s]e fai[t] de la vie d'exister[36] », Anne se donne raison, en définitive, dans son combat contre la convention sociale. Mais, en réalité, tant que l'organisation sociale ne veut pas l'accepter dans son besoin d'un niveau de stimulation et d'action particulièrement élevé, elle ne peut que se vouer à la révolte et à la prise en charge du pouvoir au prix de l'incarcération et de la solitude. De son plein gré, elle se joint donc à ceux et celles pour qui « il n'y a pas de place [...] sur terre : l'errance ou la geôle, toujours » (*A*, 68).

La parole carcérale

S'il était essentiel, dans un premier temps, de cerner Anne dans sa poursuite d'activités illicites ou choquantes, il convient maintenant de nous arrêter sur la manière dont la mobilité et le délit sont racontés, en nous rappelant que l'héroïne se transforme en personnage chroniqueur lorsque l'errance n'est plus une possibilité. Comme nous l'avons en effet déjà mentionné, c'est à la suite de son retour en prison qu'Anne s'adresse parfois directement à certains personnages pour leur révéler des actions ou des intentions jusqu'alors dissimulées. Or, cette participation au discours de certains individus évoqués au « tu » n'est pas sans signification pour Anne : elle évoque non seulement le passage à l'écriture de l'héroïne, mais aussi sa familiarité avec le domaine criminel. Ceci est surtout le cas si nous considérons que l'héroïne choisit Julien le brigand comme allocutaire de prédilection. Il arrive par ailleurs à la

33. En prison, elle a appris à « aimer » les femmes pour conserver une certaine liberté dans le domaine des activités sexuelles.

34. Karen Gould, *op. cit.*, p. 35.

35. *Ibid.*, p. 33.

36. France Théoret, *Bloody Mary* suivi de *Vertiges*, *Nécessairement putain* et *Intérieurs*, Montréal, Éditions de l'Hexagone, 1991 [1980], p. 126.

protagoniste de dire « nous » pour inclure la perspective de Julien dans son propos : elle vient alors inscrire l'errance et la truanderie au cœur même du discours. Par la même occasion, elle accorde aux policiers et aux citoyens indignés un statut inférieur comme « eux autres ».

En plus de raconter ses gestes et ses activités au temps verbal passé, Anne rapporte au présent les bribes d'impressions et d'observations qui composent sa pensée au moment de l'action. Se permettant, par exemple, de relater ses sentiments d'assurance et d'insuffisance, reliés aux problématiques féminines de puissance et de vulnérabilité[37], elle livre la phrase suivante comme exemple d'une angoisse relative à son infirmité : « Mais tu ne vois pas qu'elle est en train de pourrir ma guibolle ? » (*A*, 27) La narration des événements est également ponctuée des ripostes que l'héroïne aurait formulées dans sa tête, mais qu'elle passait sous silence pour ne pas encourir la colère ou la punition. Ces répliques du genre « Oh ! Ces propos comptables ! » (*A*, 76) apparaissent entre parenthèses dans la narration, ce qui met en relief la distance entre le passé de l'action et le présent de l'énonciation. Enfin, puisque Anne n'a plus rien à perdre en prison, elle donne libre cours à son « exubérant sans-gêne naturel » (*A*, 52) pour révéler, outre une pensée vive, mouvante ou affranchie, une conscience de femme qui n'est en rien passive et dépendante.

Si à présent nous voulons déterminer la signification profonde de l'appropriation de la parole, il nous faut analyser les procédés discursifs auxquels Anne a recours, à commencer par l'ellipse du nom de famille : « je n'ai pas de nom » (A, 191). Dans la mesure où le patronyme « identifie une place et confirme l'appartenance de l'individu qu'*on nomme* à une classe[38] », à une famille et à une société patriarcale, Anne signale sa révolte contre les institutions qui cherchent à lui attribuer une définition constante, et encore, une identité fondée sur la parenté masculine. Dans ces circonstances, Anne affirme le droit à l'autonomie sur le plan du discours et, par extension, sur le plan existentiel.

Hormis le nom de famille, l'errante écarte souvent les mots classiques de la langue française, en particulier les indicateurs du conservatisme qui impliquent pour Anne une soumission à la rigidité de l'ordre établi. Si en effet Anne tend à se révolter contre la tradition dans son

37. Le récit qui constitue le roman « trahit, chez l'auteure, des sentiments oscillant entre assurance et insuffisance […] des questions de pouvoir et de vulnérabilité qui touchent particulièrement les femmes », « *is dependent on the author's vacillating feelings of both strength and inadequacy […] specifically female issues of power and vulnerability* », Elissa Gelfand, *op. cit.*, p. 238, nous traduisons.

choix de langage, c'est qu'elle prend plaisir à recourir à des expressions courantes telles que « se faire un sacré mouron » (*A*, 169), et aux termes comme « pisser » (*A*, 126) et « merde » (*A*, 117). Elle se plaît également à employer autant de vocables tabous que possible. Ce sont des termes comme « prison, casse, police » (*A*, 71) qu'il lui faut censurer au moment de l'action, pour ne pas risquer la découverte et le renvoi en prison. Ce sont également des mots qu'on ne s'attendrait pas à entendre chez la femme selon la coutume. Dans la mesure, d'ailleurs, où le parler en question est normalement attribué aux brigands errants du Milieu, elle refuse la convention occidentale de sédentarité, mais aussi sa formation de jeune fille vouée à la domesticité. Enfin, si nous songeons à la perception courante selon laquelle les femmes sont « porteuses de la civilisation[39] » et en particulier du français classique, on voit qu'Anne souligne sa rupture avec une langue et une culture qui imposent aux femmes « des rôles contraignants, des rôles d'exploitées[40] ». Ce refus de l'image de la femme comme gardienne de la tradition immuable s'avère particulièrement significatif si nous considérons que l'héroïne a reçu dans son enfance une éducation stricte. Revenons donc à notre question. Quels effets de sens découlent du discours de l'héroïne ?

Suivant sa tendance à errer, à escroquer et à cambrioler pour combattre les traditions et les lois censées contrôler sa conduite, Anne prend la parole pour faire intervenir une « instance jugeante[41] » par rapport aux gardiens de l'ordre et aux valeurs formant l'idéal imposé. En effet, Anne vient communiquer son opposition aux règles sociales et judiciaires, en prenant soin d'assumer toute la responsabilité de ses actions[42]. Mais ce n'est pas tout : dans la perspective de la théorie féministe[43], Anne prend en charge la narration pour « éviter d'être transformée en femme-objet par le [discours d'un narrateur homme] et par les mots utilisés pour la désigner[44] ». En même temps, par le contenu et les procédés discursifs de

38. Claude Lévi-Strauss cité par François Hartog (*Le miroir d'Hérodote*, Paris, Gallimard, 1980, p. 255).

39. Monicat écrit que la femme est traditionnellement considérée la « porteuse de civilisation » : elle doit, selon cette perspective, demeurer fidèle aux conventions de sa culture. (Bénédicte Monicat, *op. cit.*, p. 60)

40. Pat Carlen, *op. cit.*, p. 1. Voir note 27.

41. Simon Harel, *Le voleur de parcours*, Montréal, XYZ, 1992, p. 47.

42. Anne évite de faire retomber le blâme sur la famille et sur des « circonstances atténuantes » en refusant, par exemple, d'intégrer à son histoire des expériences vécues en enfance.

43. Pour le motif de la marche, nous pensons à France Théoret, *Nécessairement putain*. Pour l'objectivation langagière de la femme, voir Monique Wittig, « On ne naît pas femme », *Questions féministes*, vol. 8, mai 1980.

44. Karen Gould, *op. cit.*, p. 35.

son énonciation, l'héroïne exprime son opposition à « l'exigence sociale de catégoriser et d'interpréter "la femme"[45] » en fonction de ce que Gelfand nomme les mythes de la passivité féminine[46]. Bref, elle fait éclater les explications par tradition réductrices et paralysantes. Car, en fin de compte, Anne ne se réduit dans son propre récit à aucune des formules qui lui sont proposées par la société : elle dépasse la fixité de toute définition en tant que femme truande qui prend la parole à sa manière.

C'est certes par le biais de la narratrice que *L'astragale* valorise une existence féminine en mouvement. En particulier, par rapport à « la sédentarité de l'univers domestique[47] » à laquelle les femmes sont vouées, le roman propose une manière d'être (Autre) qui combine la vitalité et l'autonomie des gestes aussi bien que l'inventivité et la mouvance des idées et des paroles. Après tout, Anne agit en sa propre faveur, choisissant de répondre à ses désirs, de défendre ses intérêts, enfin de déployer toute son énergie, pour éviter la soumission dans les gestes, voire pour effectuer un renouvellement constant de sa présence au monde. Quand l'errance n'est plus une possibilité, voire quand Anne veut « s'élargi[r] un nouvel espace d'affirmation et de modulation au féminin[48] », elle produit aussi, répétons-le, un discours original qui est relié à son goût de l'aventure et à sa force de caractère, mais également à sa peur du gendarme et à ses moments d'angoisse.

En sus d'une « manière d'être Autre », le texte suggère une « écriture Autre » par le biais de la criminelle errante. Pour nous en convaincre, rappelons que les réflexions actuelles et les ripostes antérieures, qui scandent le récit de certaines expériences vécues, contribuent à un discours autant anecdotique et fragmentaire que novateur et singulier. Considérons, en outre, les marques de l'oralité dans le discours de la narratrice. Notons, en particulier, le temps verbal du présent — comme dans l'exemple « comment être maintenant audacieuse, insolente ? » (*A*, 69) — où les actions sont présentées comme en devenir constant ; et la langue souvent familière et courante, où les mots sont pris en évolution. Dans ce cas, Anne contribue à véhiculer une Autre parole — une parole féminine — qui insiste sur l'évolution des idées et « asserte la complexité de la vérité ; sentiments, attaches, fuites et retours[49] ».

45. *Idem.*
46. Elissa Gelfand, *op. cit.*, p. 218.
47. Françoise du Sorbier, *op. cit.*, p. 181.
48. Karen Gould, *op. cit.*, p. 33.
49. Robert Dion, « La littérature (im)médiate », *Le moment critique de la fiction*, Québec, Nuit blanche éditeur, 1997, p. 58.

Comme nous le savons, toutefois, les femmes incarcérées n'ont « pas le droit d'émettre une opinion, et surtout pas de prendre la plume[50] ». Au cœur du système carcéral où elle est confinée, Anne trouve donc dans « l'écriture Autre » de ses transgressions passées, une manière de « rester en liberté[51] ». Nous n'avons par ailleurs qu'à nous appuyer sur la très grande affinité qui lie la narratrice et l'auteure de ce roman d'apparence autobiographique, si nous voulons lire non seulement la résistance, mais aussi une certaine victoire face à la machine carcérale.

En vérité, les difficultés connues en prison par Albertine Sarrazin (les critiques ont beaucoup commenté sa vie) portent à croire qu'Anne endure humiliations et représailles quotidiennes pour entreprendre d'émettre une opinion, de prendre la plume, et de faire publier son roman. Dans la société de l'époque, une telle entreprise est perçue comme un outrage : « sa prise de parole est inadmissible, car son statut de femme déchue devrait lui ôter toute autre identité, et surtout celle de noble écrivain[52] ». Parce qu'elle a basculé du côté de la criminalité, elle « devrait être interdite d'écriture et bannie [de la parole] à tout jamais. Qu'elle ait l'arrogance de refuser de se taire, [et] d'écrire son histoire, [...] sont jugés comme un crime en soi[53] ». Ainsi, dans la mesure où l'héroïne, qui représente Albertine Sarrazin, réussit à faire paraître son écrit, elle parvient à gagner son pari en faisant entendre sa voix. Étant donné son goût pour les entreprises difficiles, sa victoire doit lui paraître d'autant plus délicieuse qu'elle découle d'une lutte singulièrement douloureuse.

La protagoniste de *L'astragale* vient donc employer tour à tour plusieurs modes de désobéissance ; et ceci, pour laisser voir en quoi la femme errante peut augmenter l'intensité de son affirmation en recourant successivement à l'errance géographique (la mobilité), judiciaire (le crime) et discursive (l'écriture carcérale). En effet, à l'exemple d'Anne la truande, la femme en marche peut représenter un mouvement et une parole qui signifient la prise en compte de son destin individuel. Si, en outre, Anne mêle son pouvoir d'attraction et son intuition de femme (*A*, 131) à son aptitude pour le vol, pour constituer une criminelle à la

50. Anna Norris, *loc. cit.*, p. 434.

51. Jean Chalon, « Albertine Sarrazin écrit pour rester en liberté », *Le Figaro littéraire*, 1er décembre, 1966, p. 13.

52. Anna Norris, *loc. cit.*, p. 425.

53. *Ibid.*, p. 429. Norris se penche sur certaines femmes des XIXe et XXe siècles (et ici, sur Marguerite Steinheil) dont les textes carcéraux ont suscité une hostilité remarquable de la part des autorités, de la critique et du public.

fois innovatrice et difficile à capturer, elle vient remettre en cause non seulement la société et son code de conduite, mais aussi le stéréotype du cambrioleur homme et sa manière implacable de procéder par effraction. Elle propose et affirme en effet sa propre méthode pour connaître le succès, qui consiste à user de tout son corps. Sa prospérité comme truande femme étant en rapport direct avec la complexité de sa démarche, il lui est possible de *surpasser* le cercle des errants brigands en littérature.

Enfin, vu la convention selon laquelle les éditeurs et les membres du public insistent sur le silence des prisonnières, la jeune femme qui représente Albertine Sarrazin correspond à une révoltée qui, en racontant ses errances, s'est affranchie non seulement de la norme de sédentarité, mais aussi de la condition « bouche close et souriante » (*A*, 107). Étant donné le développement de la critique féministe depuis les années soixante-dix, il est par ailleurs à souhaiter, comme Norris le dit[54], que l'écrivaine ne soit plus jamais stigmatisée en société par son statut d'ancienne criminelle. Cependant, certains critiques « se retranchent toujours derrière la personne civile et le personnage mythique de la délinquante[55] », s'obstinant à parler du sujet écrivant comme d'une femme déchue. L'héroïne, qui représente l'auteure de *L'astragale*, accède alors très difficilement au royaume des anciens prisonniers (comme Sade, Villon et Genet) auxquels les institutions littéraires reconnaissent depuis toujours la qualité d'écrivain.

54. *Ibid.*, p. 434.
55. *Ibid.*, p. 426.

(Im)possible autobiographie. Vers une lecture derridienne de *L'amour, la fantasia* d'Assia Djebar

CHING SELAO

> [...] écrire pour moi se joue dans un rapport obscur entre le « devoir dire » et le « ne jamais pouvoir dire », ou disons, entre garder trace et affronter la loi de l'« impossibilité de dire », le « devoir taire », le « taire absolument[1] ».

Avant la publication de *L'amour, la fantasia*[2], « roman » paru en 1985 qui fera d'Assia Djebar un « grand écrivain[3] », l'auteure algérienne avait publiquement annoncé qu'elle travaillait sur un livre autobiographique. Sa venue à une écriture autobiographique en français — après quatre romans, deux films et un recueil de nouvelles[4] — aura été des plus difficiles, comme elle s'en explique à Marguerite Le Clézio :

> [...] je refusais à la langue française d'entrer dans ma vie, dans mon secret. Ce n'est pas tellement un rapport à l'écriture ; c'est un rapport à la langue

1. Assia Djebar, *Ces voix qui m'assiègent... En marge de ma francophonie*, Paris/Montréal, Albin Michel/Les Presses de l'Université de Montréal, 1999, p. 65. Dorénavant désigné à l'aide du sigle (*V*), suivi du numéro de la page.

2. Assia Djebar, *L'amour, la fantasia*, Paris, Albin Michel, 1995 [1985]. Dorénavant désigné à l'aide du sigle (*AF*), suivi du numéro de la page. Ce livre constitue le premier volet de son quatuor algérien, suivi de *Ombre sultane* (Paris, J.-C. Lattès, 1987), *Vaste est la prison* (Paris, Albin Michel, 1995), et clos par *Le blanc de l'Algérie* (Paris, Albin Michel, 1996).

3. Marguerite Le Clézio, « Assia Djebar : Écrire dans la langue adverse », *Contemporary French Civilization*, vol. 9, n° 2, 1985 (printemps/été), p. 231.

4. Les quatre romans, suivis du recueil de nouvelles, sont : *La soif*, Paris, Julliard, 1957 ; *Les impatients*, Paris, Julliard, 1958 ; *Les enfants du nouveau monde*, Paris, Julliard, 1962, *Les alouettes naïves*, Paris, Julliard, 1967 ; *Femmes d'Alger dans leur appartement*, Paris, Des Femmes, 1997 [1980]. Les deux films réalisés par Djebar s'intitulent *La nouba des femmes du mont Chenoua* (1978) — produit lors de son silence romanesque et dont les témoignages de femmes des environs de sa ville natale (Cherchell) inspireront *L'amour, la fantasia* — et *La zerda ou les chants de l'oubli* (1982).

> française. J'ai senti celle-ci comme ennemie. Écrire dans cette langue, mais écrire très près de soi, pour ne pas dire de soi-même, avec un arrachement, cela devenait pour moi une entreprise dangereuse[5].

À cette « ennemie » que représente la langue française s'ajoute une contrainte qui vient de sa culture maternelle : « J'essaie de comprendre pourquoi je résiste à cette poussée de l'autobiographie. Je résiste peut-être parce que mon éducation de femme arabe est de ne jamais parler de soi [...][6] ». La résistance de Djebar face à l'écriture de soi lui donne un recul lui permettant d'entreprendre une pratique de l'autobiographie qui se situe en marge de sa définition classique. Ernstpeter Ruhe précise que « [l]'entreprise autobiographique — si c'en est une — s'entoure de protections[7] ». De fait, Djebar a recours, dans *L'amour, la fantasia*, à la voix des Algériennes de sa région natale de Chenoua pour se protéger de la *hochma* — de la « honte » (*V*, 106) — et pour insérer sa voix dans ce livre construit selon les procédés d'une fantasia, ce spectacle de guerre qui, au moment où les cavaliers tirent, entremêle les *youyous* de femmes, c'est-à-dire les cris de joie et de deuil. Ces *youyous*, ces instants où la voix de la narratrice s'élève en même temps que celle des autres femmes, se manifestent dans le « roman » par une écriture en italique, par une écriture « de l'intime[8] ». Dans ce récit où plusieurs personnages historiques masculins occupent une place importante — puisque Djebar, à la lumière des écrits d'historiens, de soldats et d'artistes français, interprète deux passés (la conquête d'Alger en 1830 et la guerre de résistance de 1954-1962) —, les passages en italique représentent des lieux féminins privilégiés.

De l'autobiographie canonique à l'« autre-biographie »

Les extraits en écriture italique de *L'amour, la fantasia* ne sont cependant pas les seuls moments où les voix ensevelies des femmes algériennes se font entendre, dans la mesure où l'expérience militante ou les histoires

5. Marguerite Le Clézio, *loc. cit.*, p. 238.

6. Mildred Mortimer, « Entretien avec Assia Djebar, écrivain algérien », *Research in African Literatures*, vol. 19, n° 2, été 1988, p. 203.

7. Ernstpeter Ruhe, « Les mots, l'amour, la mort. Les mythomorphoses d'Assia Djebar », dans Alfred Hornung et Ernstpeter Ruhe (dir.), *Postcolonialisme et Autobiographie : Albert Memmi, Assia Djebar, Daniel Maximim. Actes du colloque « Postcolonialisme et Autobiographie » tenu à Würzburg du 19 au 22 juin 1996*, Amsterdam/Atlanta, Rodopi, 1998, p. 161.

8. Mildred Mortimer, *loc. cit.*, p. 203.

tragiques vécues par celles-ci sont également évoquées à plusieurs autres endroits, en caractère romain. L'insertion des voix féminines à l'intérieur de ces espaces de combat, de ces espaces dit masculins, suggère ainsi la participation des Algériennes dans la guerre de l'indépendance. Si la voix de ces femmes analphabètes facilite l'avancement de Djebar vers le projet autobiographique, son écriture permet, en revanche, d'inscrire, d'immortaliser la vie de celles-ci. Cette relation entre l'auteure et ses conteuses met l'accent sur la pluralité de l'écriture autobiographique chez Djebar, qui s'oppose à l'individualisme de l'autobiographie traditionnelle. Hédi Abdel-Jaouad a été l'un des premiers à qualifier *L'amour, la fantasia* d'« autobiographie au pluriel », à mettre en relief le caractère à la fois individuel et collectif de la mémoire convoquée dans ce livre, ainsi que le lien étroit qui unit là le projet autobiographique (reconstitution d'une vie) à un projet historique (reconstitution d'un passé)[9]. D'autres critiques, notamment Patricia Geesey, inscrivent leur analyse dans une même perspective. L'expression *collective autobiography* qu'elle emploie pour définir ce « roman » emprunte entre autres aux textes féministes de Sidonie Smith, selon lesquels l'écriture autobiographique des femmes — et particulièrement des femmes provenant des pays du tiers-monde ou en voie de développement — repose sur une subjectivité plurielle, une conscience collective[10].

La parution de *L'amour, la fantasia*, en 1985, coïncide avec l'intérêt porté à la pratique autobiographique au féminin. En effet, les années 1980 marquent un tournant majeur quant à la redéfinition de l'autobiographie canonisée par Georges Gusdorf, pour qui ce « genre » est inconditionnellement réservé à l'homme blanc occidental[11]. Comme le souligne Susan Stanford Friedman[12], si l'on doit à Gusdorf d'avoir affirmé, dès les années 1950, que les « moi » autobiographiques se construisent à travers le processus d'écriture et ne peuvent par conséquent

9. Hédi Abdel-Jaouad, « *L'amour, la fantasia* : Autobiography as Fiction », *CELFAN Review*, vol. 7, n°s 1-2, 1987-88, cité dans Anne Donadey, « "Elle a rallumé le vif du passé". L'écriture-palimpseste d'Assia Djebar », dans Alfred Hornung et Ernstpeter Ruhe (dir.), *Postcolonialisme et Autobiographie : Albert Memmi, Assia Djebar, Daniel Maximim*, *op. cit.*, p. 101.

10. Patricia Geesey, « Collective Autobiography : Algerian Women and History in Assia Djebar's *L'amour, la fantasia* », *Dalhousie French Studies*, vol. 35, 1996 (été), p. 153-167.

11. Sidonie Smith et Julia Watson, « Introduction : Situating Subjectivity in Women's Autobiographical Practices », dans Sidonie Smith et Julia Watson (dir.), *Women, Autobiography, Theory : A Reader*, Madison, University of Wisconsin Press, 1998, p. 8.

12. Susan Stanford Friedman, « Women's Autobiographical Selves : Theory and Practice », dans Shari Benstock (dir.), *The Private Self : Theory and Practice of Women's Autobiographical Writings*, Chapel Hill, University of North Carolina Press, 1988, p. 34.

pas reproduire les « moi » de la vie — révélant déjà l'impossible authenticité du projet autobiographique —, son exclusion des femmes, des minorités, des écrivains non occidentaux, bref, des auteurs en marge du groupe dominant, rend sa théorie tout à fait contestable parce qu'exclusive et hégémonique. En réaction contre les limites contraignantes établies par des penseurs tels que Gusdorf, la critique féministe de l'autobiographie s'est imposée de façon remarquable en ouvrant les voies de ce « genre » aux écritures périphériques. Sidonie Smith et Julia Watson observent à cet égard :

> L'autobiographie des femmes est maintenant un lieu privilégié pour réfléchir à des questions d'écriture qui se situent à la croisée des théories féministes, postcoloniales et postmodernes. Il est essentiel de noter que l'écriture et la théorisation des vies de femmes se sont souvent produites dans des textes qui mettent l'accent sur des processus collectifs en interrogeant la souveraineté et l'universalité du moi solitaire. Plusieurs femmes écrivains ont eu recours à l'autobiographie pour s'inscrire dans l'histoire[13].

En tant que femme arabo-musulmane et, qui plus est, colonisée, Djebar tente en effet, par l'écriture autobiographique, d'intégrer les oubliées de l'histoire dans l'Histoire, de restituer la mémoire des colonisées. En cela, son travail se distingue nettement de l'autobiographie telle que la définit Philippe Lejeune qui, à la suite de Gusdorf, met l'accent sur l'aspect *individuel* et *personnel* du genre[14].

Dans une optique similaire à celle de Gusdorf — bien que plusieurs points divisent les deux penseurs —, Lejeune présuppose que l'autobiographe est doté d'une identité complète, immuable. Tandis que Gusdorf affirme que l'autobiographie n'est possible que dans la mesure où l'homme forme une île en lui-même, image qui symbolise la finitude du « Moi », Lejeune écrit, dans *Le pacte autobiographique* : « Une identité est, ou n'est pas. Il n'y a pas de degré possible, et tout doute entraîne une conclusion négative[15] ». Cette identité « authentique » est certifiée par l'emploi d'un « je » qui établit l'équation suivante : auteur = narrateur = personnage principal. Dans *L'amour, la fantasia*, le « je »

13. « *Women's autobiography is now a privileged site for thinking about issues of writing at the intersection of feminist, postcolonial, and postmodern critical theories. [...] Crucially, the writing and theorizing of women's lives has often occurred in texts that place emphasis on collective processes while questioning the sovereignty and universality of the solitary self. Autobiography has been employed by many women writers to write themselves into history* », Sidonie Smith et Julia Watson, *loc. cit.*, p. 5, nous traduisons.

14. Philippe Lejeune, *Le pacte autobiographique*, Paris, Seuil, 1975, p. 14.

15. *Ibid.*, p. 15.

n'est certes pas aussi figé et intouchable que le voudrait Lejeune[16]. Non seulement le « roman » oscille entre vérité et fiction, rompant par là le pacte autobiographique, mais il passe également d'un « je » qui renvoie tantôt à Djebar, tantôt à d'autres femmes algériennes. En effet, si le « je » de la première moitié du livre renvoie à l'auteure, le « je » de l'autre moitié — à partir de la *Troisième partie* intitulée « Les voix ensevelies » — fait parler une autre, plusieurs autres, en plus de la narratrice. Entre les fragments de la vie de l'écrivaine s'insère, dans les sous-parties qui portent les titres « Voix » ou « Voix de veuve », le récit de femmes demeurées jusqu'ici silencieuses, le récit de femmes qui hante Djebar. Alors que l'emploi du « je » dans une autobiographie canonique marque le retour à soi, la focalisation sur le moi, le « je » multiple dans *L'amour, la fantasia* place l'écriture autobiographique sous le signe de l'altérité, de ce que Hélène Cixous a appelé l'« autre-biographie ».

> Le concept d'autobiographie résonne pour moi comme l'« autre-biographie ». Il ne s'agit pas d'autocentrement : le moi est un peuple. [...] Je suis hantée par des voix : écrire c'est faire entendre ces voix, chacune avec sa coloration, son idiome, dans une écriture tressée, multicolore, multivocale[17].

Ces propos de Cixous, écrivaine et critique algérienne juive, semblent décrire le point de vue de Djebar pour qui le moi est effectivement un peuple qui l'habite, un peuple, en l'occurrence, féminin. En outre, *L'amour, la fantasia* met en scène une écriture tressée de plusieurs idiomes, tissée par des bribes d'oralité aux endroits intitulés « Voix », de sorte que la narratrice admet consentir à « cette bâtardise, au seul métissage que la foi ancestrale ne condamne pas : celui de la langue et non celui du sang » (*AF*, 161).

Selon Françoise Lionnet[18], l'héritage culturel des sujets post-coloniaux leur permet au mieux d'explorer les voies multiples de l'autobiographie, qu'elle conçoit comme étant un « genre » métissé, un terrain qui

16. Dans « Le pacte autobiographique (bis) », Lejeune précise, en réaction aux critiques suscitées par le livre du même titre : « Si, en 1980, j'ai choisi le titre *Je est un autre* pour regrouper les études écrites depuis *le Pacte*, c'est justement pour réintroduire le "jeu" qui est fatalement lié à l'identité » (Philippe Lejeune, *Moi aussi*, Paris, Seuil, 1986, p. 20-21). Pourtant, l'auteur ne tarde pas à regagner sa position originale en réitérant les affirmations du *Pacte* : « Je crois qu'on peut s'engager à dire la vérité ; je crois à la transparence du langage, et en l'existence d'un sujet plein qui s'exprime à travers lui ; je crois que mon nom garantit mon autonomie et ma singularité [...] ; je crois que quand je dis "je" c'est moi qui parle : je crois au Saint-Esprit de la première personne » (*Ibid.*, p. 30).

17. Hélène Cixous, « Le moi est un peuple », *Magazine littéraire*, numéro spécial sur *Les écritures du moi. De l'autobiographie à l'autofiction*, n° 409, mai 2002, p. 26.

18. Françoise Lionnet, *Autobiographical Voices : Race, Gender, Self-Portraiture*, Ithaca, Cornell University Press, 1989. Voir en particulier l'introduction, p. 1-29.

privilégie le tissage entre plusieurs dialectes, plusieurs identités, entre fiction et « vérité ». Dans le livre étudié, la narratrice écrit : « L'autobiographie pratiquée dans la langue adverse se tisse comme fiction [...] » (*AF*, 243) ; ce qui a pu entraîner des critiques à le définir comme une autofiction. Sans préciser les dispositifs narratifs qui déterminent ce « genre », Mildred Mortimer affirme que l'insertion de voix plurielles et le brouillage entre l'expérience vécue et la fiction font de *L'amour, la fantasia* une autobiographie collective et une autofiction[19]. S'il est vrai que certains traits de ce « roman » le rattachent effectivement à l'autofiction, « genre » inventé par Serge Doubrovsky afin de combler la fameuse « case aveugle » de Lejeune, d'autres caractéristiques montrent qu'il s'en éloigne. Il y a bien sûr des passages de *L'amour, la fantasia* qui témoignent de ce que Lejeune a appelé un pacte romanesque, c'est-à-dire une invitation au lecteur à *imaginer* plutôt qu'à *croire* ce qu'il lit. Ces moments se manifestent dans les extraits plus historiques du « roman » dans lesquels Djebar, en tant qu'historienne, questionne l'objectivité de l'Histoire qui n'échappe pas à sa part fictive, poussant la fiction jusqu'à s'introduire dans le récit de la conquête du siècle précédent. S'il est clair que l'écrivaine ne nous demande pas de croire qu'elle est « née en *dix-huit cent quarante-deux*, lorsque le commandant de Saint-Arnaud vient détruire la zaouia des Beni Ménacer, [s]a tribu d'origine [...] » (*AF*, 243), elle nous demande par ailleurs de croire que son interprétation n'est pas moins objective — et pas moins subjective — que celles des conquérants. Ce qu'il faut cependant lire dans la phrase « l'autobiographie dans la langue adverse se tisse comme fiction », c'est l'impossible traduction de son enfance arabe dans une autre langue, l'impossible traduction d'une langue à une autre. Il ne s'agit pas, pour Djebar, de présenter son expérience ou celle des femmes algériennes comme fictives, mais bien de reconnaître que chaque texte qui se veut « vrai » ou « véridique » introduit sa part de fiction.

Ainsi, ce récit que Djebar dit être son « premier livre ouvertement autobiographique » (*V*, 51) se situe quelque part entre roman et autobiographie, dans un entre-lieu qui ne s'appelle toutefois ni roman autobiographique ni autofiction. D'après la définition de Doubrovsky, l'autofiction est une « autobiographie fictionnalisée[20] » où « auteur, nar-

19. Mildred Mortimer, « Assia Djebar's *Algerian Quartet* : A Study in Fragmented Autobiography », *Research in African Literatures*, vol. 28, n° 2, été 1997, p. 103.

20. Jacques Lecarme, « L'autofiction : un mauvais genre ? », dans Serge Doubrovsky, Jacques Lecarme et Philippe Lejeune (dir.), *Autofictions & Cie*, Paris, Université Paris X, 1993, p. 230.

rateur et protagoniste partagent la même identité nominale et dont l'intitulé générique indique qu'il s'agit d'un roman[21] ». La mention générique « roman » de *L'amour, la fantasia* relève, comme l'écrivaine l'a mentionné à plusieurs reprises, d'une stratégie éditoriale qui n'a rien à voir avec un pacte autofictionnel[22]. De plus, les trois instances discursives ne forment pas toujours une seule et même identité : l'auteure n'est parfois ni narratrice ni protagoniste. Si les éléments paratextuels (mention générique, interviews…) et plusieurs réflexions sur la question autobiographique invitent à lire ce livre comme une autobiographie ou une autofiction, la principale narratrice — « fillette arabe allant pour la première fois à l'école » (*AF*, 11) et qui deviendra écrivaine algérienne de langue française, n'est jamais nommée, de sorte qu'il est impossible d'affirmer avec certitude s'il s'agit bel et bien d'Assia Djebar. Comme le souligne Jacques Lecarme :

> Hors du nom propre, il n'est point de pierre de touche pour l'autobiographie ou pour l'autofiction. Mais les difficultés commencent ici au lieu de disparaître. Jacques Derrida, [dans *Otobiographies. L'enseignement de Nietzsche et la politique du nom propre*], suggère que Nietzsche-auteur n'est que l'homonyme *et* le pseudonyme de Nietzsche-personne, tant il est vrai que l'auteur est un autre. Les notions de nom propre, de signature et de contrat sont plus qu'ébranlées, alors qu'on croyait y tenir le fondement de l'autobiographie[23].

Djebar-auteure est en effet une autre, doublement autre puisque Assia Djebar est le pseudonyme de Fatima-Zohra Imalayène. Tandis que Lejeune affirme que « [l]e pseudonyme est simplement une différenciation, un dédoublement du nom, qui ne change rien à l'identité[24] », Djebar s'est d'abord servie du pseudonyme comme d'un voile, un voile lui permettant de non seulement changer son identité pour la publication de *La soif* son premier roman , mais aussi de la cacher, protégeant de cette façon sa famille du scandale d'avoir une fille qui écrit une histoire érotique et, de surcroît, dans la langue de l'ancien colonisateur.

S'il importe de préciser en quoi *L'amour, la fantasia* ne s'inscrit pas dans *un* genre en particulier, ce n'est pas tant pour insister sur les différences entre roman, autofiction et autobiographie que pour indiquer la

21. *Ibid.*, p. 227.

22. Dans *Ces voix qui m'assiègent*, Djebar relate la difficulté qu'elle a eue à trouver un « bon » éditeur : « Mes éditeurs trouvaient que *L'amour, la fantasia* n'avait l'air de rien : ce n'était pas une simple continuité autobiographique, et ce n'était pas un vrai roman !… » (*V*, 108)

23. Jacques Lecarme, *loc. cit.*, p. 243.

24. Philippe Lejeune, *op. cit*,, p. 24.

forme hybride du récit. En supposant qu'il faille absolument qualifier le texte à l'étude, je dirais, en écho à Derrida — qui, dans *Demeure*, analyse *L'instant de ma mort* de Maurice Blanchot comme une autobio-thanatographie[25] et qui a lui-même fait la pratique d'une zootobiographie en se mettant dans la peau d'un chat dans « L'animal que donc je suis[26] » — que *L'amour, la fantasia* est un récit autohétérobiothanatohistoriographique. Djebar offre des fragments sur sa vie et sur elle-même (autobio), ainsi que sur celle d'autres femmes (hétérobio), et interprète une partie de l'histoire algérienne (historio). Mais cette interprétation, de même que le dévoilement de sa vie et de celle des femmes algériennes, ne peut se faire que par une appropriation des textes des « ennemis » français et de leur langue, rendant problématique son projet autohétérobiohistoriographique et justifiant l'ajout du « thanato » : l'écriture du dévoilement implique un rapport à la mort. « Me mettre à nu dans cette langue, écrit Djebar, me fait entretenir un danger permanent de déflagration » (*AF*, 241). Dans *Ces voix qui m'assiègent*, l'auteure confirme cette impression en définissant l'écriture autobiographique de « tombe-écriture » (*V*, 114), suggérant dès lors qu'une mise à nu correspond à une mise à mort.

La langue adverse

Pour Derrida, philosophe juif également né dans une Algérie colonisée, l'écriture autobiographique suppose aussi une mort symbolique, comme si tenter de se donner pour « vrai » dans la langue de l'autre ne peut signifier que se donner la mort. L'écriture de cette mort devenant, comme il le souligne dans « Circonfession », un héritage, un *don* de l'autre, « car je me donne ici la mort ne se dit qu'en une langue dont la colonisation de l'Algérie en 1830, un siècle avant moi, m'aura fait présent, *I don't take my life*, mais je me donne la mort[27] ». La posture de Derrida face à la langue française et à l'écriture autobiographique rejoint de façon frappante celle de Djebar au sujet des mêmes questions. En réponse aux *Confessions* de Saint Augustin, Derrida insiste, dans « Circonfession », sur l'impossibilité de dire la vérité, de *faire* la vérité — pour reprendre le terme du premier —, proposant une pratique

25. Jacques Derrida, *Demeure. Maurice Blanchot*, Paris, Galilée, 1998, p. 94.

26. Jacques Derrida, « L'animal que donc je suis », dans *L'Animal autobiographique. Autour de Jacques Derrida*, Marie-Louise Mallet (dir.), Paris, Galilée, 1999, p. 251-301.

27. Jacques Derrida, « Circonfession », dans Geoffrey Bennington, *Jacques Derrida*, Paris, Seuil, 1991, p. 263.

« circonfessionnelle » dans tout projet autobiographique, c'est-à-dire une écriture qui tourne autour d'un aveu sans le fermer sur une vérité, qui tourne autour d'un aveu s'ouvrant sur la possibilité de ne pas être une vérité. Le renvoi à Saint Augustin n'est guère étonnant puisqu'il représente en quelque sorte le pionnier de ce que nous appelons aujourd'hui l'autobiographie, mais ce sont sans doute les enjeux entourant la langue d'écriture qui lient davantage Derrida et Djebar à leur compatriote, Algérien dont la langue maternelle est le *tamazight*, le berbère, et qui écrit ses *Confessions* en latin, langue apprise à l'école[28]. Djebar établit, dans *L'amour, la fantasia*, une filiation entre son écriture en français et celle de Saint Augustin en latin, toutes deux se déroulant dans « une langue installée sur la terre ancestrale dans des effusions de sang » (*AF*, 242). Dans la même veine, Derrida met l'accent sur le sang/l'encre qui coule de sa plume en rapprochant l'écriture autobiographique dans une langue imposée de la circoncision, blessure pareillement imposée.

Si l'écriture rappelle à Djebar et à Derrida une blessure originaire (adopter la langue du conquérant a exigé d'eux qu'ils se fassent violence), il faut néanmoins préciser qu'ils ne considèrent pas le français, à proprement dire la langue de l'autre, comme une langue étrangère. Lorsque Djebar qualifie la langue française de « langue adverse », elle précise par ailleurs que cette dernière ne lui est pas étrangère[29], partageant en ce sens la position exprimée par Derrida dans *Le monolinguisme de l'autre ou La prothèse d'origine* : « En disant que la seule langue que je parle n'est pas *la mienne*, je n'ai pas dit qu'elle me fût étrangère. Nuance[30] ». « Nuance » est à mon sens le mot d'ordre pour lire les romans de Djebar et pour aborder son rapport aux langues — berbère, arabe, française — en lien avec son appartenance franco-maghrébine.

Dans *Le monolinguisme de l'autre*, essai qui offre une réflexion approfondie sur les questions entourant la langue et l'écriture autobiographique, Derrida relève l'ambiguïté de l'expression « franco-maghrébin », soulignant que le trait d'union qui relie deux identités trahit par ailleurs la désunion de deux peuples :

28. Alawa Toumi, « Creolized North Africa : What Do They Really Speak in the Maghreb ? », dans Marie-Pierre Le Hir et Dana Strand (dir.), *French Cultural Studies : Criticism at the Crossroads*, Albany, State University of New York Press, 2000, p. 70.

29. Marguerite Le Clézio, *loc. cit.*, p. 234.

30. Jacques Derrida, *Le monolinguisme de l'autre ou La prothèse d'origine*, Paris, Galilée, 1996, p. 18. Dorénavant désigné à l'aide du sigle (*M*), suivi du numéro de la page.

> Le silence de ce trait d'union ne pacifie ou n'apaise rien, aucun tourment, aucune torture. Il ne fera jamais taire leur mémoire. Il pourrait même aggraver la terreur, les lésions et les blessures. Un trait d'union ne suffit jamais à couvrir les protestations, les cris de colère ou de souffrance, le bruit des armes, des avions et des bombes. (*M*, 27)

L'alliance entre la France et le Maghreb par ce trait d'union tend donc à étouffer une violence pourtant toujours présente. L'ambiguïté qui s'installe dans le trait d'union de « franco-maghrébin » trouve également demeure dans la virgule du titre de Djebar, *L'amour, la fantasia*, virgule qui suggère à la fois un rapprochement et une séparation entre deux pays, deux moments historiques. En effet, cette virgule a une double fonction puisqu'elle relie et oppose les deux termes, c'est-à-dire qu'elle annonce la complicité et la dualité entre « l'amour » et la « fantasia ». Katherine Gracki propose d'interpréter cette virgule comme le sang qui marque la division entre la violence de l'Algérie d'hier et d'aujourd'hui : « Cette virgule peut être lue comme le sang de la rupture et de la division gravé dans le corpus de Djebar, une marque de violence qui a sans cesse laissé sa trace sur le passé et le présent de l'Algérie[31] ». Si la virgule *marque* en ce qu'elle symbolise une des traces de sang de la (dé)colonisation, elle *efface* toutefois « la violence initiale » (*AF*, 56) par le lien étroit qu'elle établit entre l'amour et la guerre, comme si la guerre était un acte d'amour. Djebar dénonce la pénétration coloniale à travers la métaphore du viol pour en montrer la brutalité, mais elle avance également que la prise d'Alger s'est faite « dans l'aveuglement d'un coup de foudre mutuel » (*AF*, 17), révélant par là sa position ambivalente par rapport à la colonisation :

> Dès ce heurt entre deux peuples, surgit une sorte d'aporie. Est-ce le viol, est-ce l'amour non avoué, vaguement perçu en pulsion coupable, qui laissent errer leurs fantômes dans l'un et l'autre des camps, par l'enchevêtrement des corps, tout cet été de 1830[32] ? (*AF*, 26)

31. « *This comma may be read as the blood of rupture and division etched into Djebar's corpus, a mark of violence which has not loosened its grip on both Algeria's past and its present* », Katherine Gracki, « Writing Violence and the Violence of Writing in Assia Djebar's *Algerian Quartet* », *World Literature Today*, vol. 70, n° 4, automne 1996, p. 837, nous traduisons.

32. Andrea Page a analysé cette ambivalence de Djebar d'un point de vue féministe. Andrea Page, « Rape or Obscene Copulation ? Ambivalence and Complicity in Djebar's *L'Amour, la fantasia* », *Women in French Studies*, vol. 2, automne 1994, p. 42-54. Dans cet article, elle souligne que les critiques, en insistant sur la dénonciation de la violence coloniale et de l'oppression des femmes par l'Islam, ont, par ce fait même, ignoré les traces évidentes du patriarcat occidental que Djebar reproduit. En citant des extraits qui traduisent la position ambivalente de la narratrice par rapport à la prise d'Alger, Page écrit : « De toute évidence, l'armée française veut pénétrer et violer l'Algérie, mais [l'auteure]

L'ambiguïté entourant le titre dévoile déjà, de façon implicite, sa relation contradictoire avec la langue française. La virgule de Djebar et le trait d'union de Derrida peuvent certes être lus comme des signes trahissant leur « nostalgérie » (*M*, 86).

Chez Djebar et chez Derrida, la résistance à l'autobiographie *et* le désir de l'autobiographie sont intimement liés à la langue, d'où l'importance d'insister sur celle-ci. Pourtant, une question s'impose : de quelle langue s'agit-il ? La maternelle ou l'autre ? L'ambiguïté derridienne rencontre ici l'ambivalence djebarienne. Alors que l'auteure algérienne appelle le français sa langue marâtre (*AF*, 240), le philosophe dit de la langue maternelle qu'il « n'en avai[t] pas, justement, pas d'autre que le français » (*M*, 60), et affirme toutefois : « [...] jamais je n'ai pu appeler le français, cette langue que je te parle, "ma langue maternelle" » (*M*, 61). Dans son récent ouvrage, Calle-Gruber abonde dans ce sens au sujet de l'écrivaine : « Rien de tranché, rien de simple, cependant, rien de moins dichotomique que le diptyque d'Assia Djebar : car la langue maternelle, elle-même bifide, est perte d'origine (perte de l'origine, perte à l'origine)[33] ». On constate, dans cette citation, l'influence de la

est-elle en train de laisser entendre ici, quoique inconsciemment, que l'Algérie veut, dans une certaine mesure, être pénétrée et violée en retour ? Et si c'est le cas, Djebar ne reproduit-elle pas alors cette tendance du patriarcat occidental à se nourrir d'une perception des femmes comme fascinées et désireuses d'être violées ? » (« *Obviously, the French army wants to penetrate and rape Algeria, but is she suggesting here, however unconsciously, that Algeria on some level wants to be penetrated or raped in return ? And if this is the case, hasn't Djebar now replicated that collusionary aspect of Western patriarchy that thrives on women being fascinated and desirous of being raped ?* » [49, nous traduisons]) La question est tout à fait pertinente, et on serait tenté d'en dire autant de l'analyse en général si ce n'était de cette « mise en garde » de Page : « On doit d'abord noter que j'adopte ici, ouvertement et sans remords, la perspective d'une féministe occidentale qui soutient avec véhémence que le viol est un acte de violence et qu'en tant que tel, il doit être considéré comme distinct de l'amour, de la sexualité et du désir » (« *It should be noted first of all that my perspective is unapologetically a Western feminist one which argues vehemently that rape is an act of violence and as such should be considered distinct from love, sexuality and sexual desire* » [47-48, nous traduisons].) On pourrait se demander si Page n'est pas en train de laisser entendre qu'un point de vue féministe non occidental, en l'occurrence celui de Djebar, associe *inconsciemment* le viol à l'amour, en d'autres termes, que seul le féminisme occidental sait faire la distinction entre un viol et un acte d'amour. Page affirme également que Djebar « est forcée de violer sa propre culture dans le but d'échapper au rôle de l'épouse traditionnelle » (« *is forced to rape her own culture in order to save herself from becoming the traditional wife* » [53, nous traduisons]), indiquant ici la nécessité de rejeter la culture islamique pour se « libérer ». En réaction à ce type de lectures qui opposent émancipation des femmes et l'Islam, Mireille Calle-Gruber a habilement montré et précisé que Djebar « refuse le refus de sa propre culture et affirme l'exigence — bien plus exorbitante — d'une liberté féminine inscrite *dans* les lois de l'Islam ». Mireille Calle-Gruber, *op. cit.*, p. 151.

33. *Ibid.*, p. 38.

pensée de Derrida pour qui toute langue maternelle, toute origine ne peut se penser qu'en termes de perte, mais une perte qui n'en est pas vraiment une puisqu'on ne peut perdre ce qu'on n'a jamais eu. Le colonisateur lui-même n'a jamais eu, n'a jamais possédé la langue qu'il impose comme la sienne. Derrida souligne à juste titre que celle-ci ne lui appartient pas, *naturellement* :

> Parce que le maître ne possède pas en propre, naturellement, ce qu'il appelle pourtant sa langue ; parce que, quoi qu'il veuille ou fasse, il ne peut entretenir avec elle des rapports de propriété ou d'identité naturels, nationaux, congénitaux, ontologiques ; parce qu'il ne peut accréditer et dire cette appropriation qu'au cours d'un procès non naturel de constructions politico-phantasmatiques [...]. (*M*, 45)

Autrement dit, n'ayant pas de langue propre, le colonisateur s'arroge une langue qu'il rêve, s'imagine être la sienne et qui devient, par le biais de ce phantasme — à entendre dans les deux sens du terme — une langue spectrale, fantomatique, une prothèse de l'origine. La langue étant perçue par le philosophe comme un phantasme que le colonisateur s'est approprié « à travers le viol d'une usurpation culturelle » (*M*, 45), la ré-appropriation de cette langue par le sujet post-colonial s'avère dès lors elle-même un projet fantomatique puisqu'il ne saurait y avoir d'appropriation absolue de la langue.

Sans que cela soit une appropriation absolue, Derrida propose par ailleurs d'inventer une langue qu'aucune hégémonie culturelle ou discursive ne pourra se réapproprier. L'invention d'une langue par la transformation, voire la déformation du français est peut-être, d'après lui, la seule voie possible vers une *tentative* de l'autobiographie :

> Si [...] je rêve d'écrire une anamnèse de ce qui m'a permis de m'identifier ou de dire *je* à partir d'un fond d'amnésie et d'aphasie, je sais du même coup que je ne pourrai le faire qu'à frayer une voie impossible [...], à inventer une langue assez autre pour ne plus se laisser *réapproprier* dans les normes, le corps, la loi de la langue donnée [...]. (*M*, 124)

Sortir de l'amnésie et de l'aphasie, pour Djebar, ne peut en effet s'effectuer que par la création d'une langue, une langue qui permettrait de passer de l'oral à l'écrit, du berbère au français sans tomber dans la dualité de ces deux langues. Selon Derrida, le sujet post-colonial doit inventer une langue qui « serait plutôt une *avant-première-langue* destinée à traduire cette mémoire. Mais à traduire la mémoire de ce qui précisément n'a pas eu lieu, de ce qui, ayant été (l')interdit, a dû néanmoins laisser une trace, [...] de[s] traces, de[s] marques, de[s] cicatrices » (*M*, 118). Pour celle qui a été « coupée des mots de [s]a mère par une mutilation de la mémoire » (*AF*, 12), la seule façon de guérir d'une telle blessure réside dans ce projet paradoxal que met en relief Derrida et qui consiste « à traduire la mémoire de ce qui précisément n'a pas eu lieu ». Or, il lui faut traduire l'intraduisible et ce, par le biais de la fiction, une fiction qui n'en est pas moins « vraie » puisqu'il s'agit de construire une vérité et une mémoire qui n'existent pas, qui n'ont pas eu lieu. Parallèlement à Derrida, Djebar rappelle qu'écrire, c'est « se souvenir certes, et malgré soi : non du passé, mais de l'avant-mémoire, de l'avant avant la première aube, avant la nuit des nuits, avant » (*V*, 138). Écrire, c'est donc restaurer, inventer une mémoire perdue, un passé à venir, une langue pré-maternelle, et écrire une autobiographie, c'est tendre vers un « retour à venir » (*V*, 51), l'écriture autobiographique, ce retour sur soi, étant toujours à venir, en préparation.

L'interdit

La quête de Djebar d'une langue qui ferait entendre « la source orale de ce français des colonisés » (*AF*, 241) tend à remédier à un handicap, à savoir son « bilinguisme qui "boîtait des deux jambes"[34] ». De toute évidence, la nouvelle langue symbolise pour elle, et ici aucune autre métaphore ne pourrait être plus juste, *la prothèse d'origine*. Néanmoins, si la prothèse d'origine, ce « membre-fantôme » (*M*, 118), lui permet d'oublier son « handicap » le temps d'écrire *L'amour, la fantasia*, elle le lui rappelle pourtant, parce qu'elle en est la cause : cette même prothèse a permis au colonisateur d'interdire les autres langues. L'interdit des langues est, d'après Derrida, à la source du *trouble de l'identité* qui est lui-même à l'origine du désir d'anamnèse, le philosophe reconnaissant toutefois le leurre du phantasme généalogique. Pour Djebar, écrire c'est se dire (*AF*, 72) : mais comment peut-elle écrire, s'écrire, dès lors qu'on l'a coupée de la langue maternelle, qu'on lui a, autrement dit, coupé la langue ? « Quand on interdit l'accès à une langue, écrit Derrida, on n'interdit aucune chose, aucun geste, aucun acte. On interdit l'accès au dire, voilà tout, à un certain dire. Mais c'est là justement l'interdit fondamental, l'interdiction absolue, l'interdiction de la diction et du dire » (*M*, 58). Lorsqu'une langue est ainsi interdite, la prise de parole ne peut qu'être difficile, voire impossible, car lever l'interdit signifie toujours demeurer dans l'inter-dit, dans un entre-dit. Djebar exprime la douleur de l'interdiction d'une langue et de l'imposition d'une autre en

34. Marguerite Le Clézio, *loc. cit.*, p. 233.

faisant part de son « état autistique » (*AF*, 38) causé par une impossibilité de dire l'amour en français : « [...] la langue française pouvait tout m'offrir de ses trésors inépuisables, mais pas un, pas le moindre de ses mots d'amour ne me serait réservé[35]... » (*AF*, 38). Incapable de dire l'amour dans la langue de l'occupant et pourtant « désertée des chants de l'amour arabe » (*AF*, 240), la narratrice se situe dans un entre-dit qui gêne la fluidité de son écriture : « Est-ce d'avoir été expulsée de ce discours amoureux qui me fait trouver aride le français que j'emploie ? » (*AF*, 240) Si la lecture et l'écriture en langue française signifient, d'une part, voyage, mouvement corporel dans un espace subversif, elles signifient, d'autre part, l'incapacité de saisir la sensibilité des mots français. Absente de l'écriture arabe comme d'un grand amour (*AF*, 204), la narratrice-écolière s'absente également de la matérialité de la langue adverse, si bien que l'utilisation du français lui est aride, c'est-à-dire forcée, ne coulant pas de source.

> J'écris et je parle français au-dehors : mes mots ne se chargent pas de réalité charnelle. J'apprends des noms d'oiseaux que je n'ai jamais vus, des noms d'arbres que je mettrai dix ans ou davantage à identifier ensuite, des glossaires de fleurs et de plantes que je ne humerai jamais avant de voyager au nord de la Méditerranée. En ce sens, tout vocabulaire me devient absence, exotisme sans mystère, avec comme une mortification de l'œil qu'il ne sied pas d'avouer... (*AF*, 208)

Celle qui circule librement parce que non cloîtrée, que l'on regarde parce que non voilée, ne peut donc pas *voir* les images auxquelles renvoient les mots appris et devient symboliquement aveugle : visible pour les autres, aveugle à elle-même, aveugle sans être enfermée.

Alors que l'aridité de la narratrice-écolière s'explique par l'impossibilité de donner corps aux mots français, l'aridité que rencontre la narratrice-autobiographe est reliée à sa difficulté de dire « je », l'appropriation de ce « je » par une femme arabo-musulmane n'étant pas, précise Djebar, un processus « naturel ». Cette difficulté, Derrida le voit bien, contrarie le projet autobiographique : « Quelle que soit l'histoire d'un retour à soi ou *chez soi*, [...], de quelque façon que s'affabule une constitution du *soi*, de l'*autos*, de l'*ipse*, on se *figure* toujours que celui ou celle qui écrit doit savoir déjà dire *je* » (*M*, 53). Pour le sujet amnésique

35. Djebar confie à cet égard : « Le projet de *L'amour, la fantasia*, je me souviens très bien puisque c'était en 82, est né d'une interrogation qui était personnelle [...] : "comment se fait-il que je ne peux pas dire des mots d'amour en français ?" Ce n'est parti que de là. » « Discussions », dans Alfred Hornung et Ernstpeter Ruhe (dir.), *Postcolonialisme et Autobiographie : Albert Memmi, Assia Djebar, Daniel Maximim*, *op. cit.*, p. 181-182.

qu'est Djebar, il s'agit d'inventer son «je» et ce, dans les langues française et berbère. Tandis que la difficulté de s'approprier un «je» dans la langue adverse est liée à l'héritage colonial (« *Ma fiction est cette autobiographie qui s'esquisse, alourdie par l'héritage qui m'encombre* » [*AF*, 244]), l'impossibilité de parler à la première personne dans « sa » langue est associée au renoncement d'une voix au profit de plusieurs voix.

> Jamais le « je » de la première personne ne sera utilisé : la voix a déposé, en formules stéréotypées, sa charge de rancune et de râles échardant la gorge. Chaque femme, écorchée au-dedans, s'est apaisée dans l'écoute collective.
>
> [...]
> Comment une femme pourrait parler haut, même en langue arabe, autrement que dans l'attente du grand âge ? Comment dire «je», puisque ce serait dédaigner les formules-couvertures qui maintiennent le trajet individuel dans la résignation collective ? (*AF*, 176-177)

Certes, Djebar transgresse les normes de cette société en écrivant à la première personne, mais le «je» employé demeure pourtant empreint de la collectivité puisqu'il est plurivoque, signe d'une résistance collective plutôt que d'une résignation.

Mais si, grâce à son père, la narratrice s'est libérée de l'aphasie collective et tente, par ce fait même, de libérer les autres, c'est, ironiquement, par la chance d'échapper au harem, à ce lieu sacré, *interdit* comme l'indique son étymologie (*haram*), qu'elle connaîtra le double interdit dont parle Derrida, à savoir l'interdit d'accès à l'arabe et l'interdit d'accès au français. Ce dernier, souligne le philosophe, opérait de manière « détournée et perverse » (*M*, 57), « dans la façon de permettre et de donner » (*M*, 59). De ce don, de ce privilège d'apprendre le français, la narratrice confie : « Cette chance me propulse à la frontière d'une sournoise hystérie » (*AF*, 208). Consciente d'avoir « fait trop tôt un mariage forcé » (*AF*, 239), car en lui donnant la langue française, son père « [l]'aurait "donnée" avant l'âge nubile [...] au camp ennemi » (*AF*, 239), la narratrice nourrit à l'égard de cette langue « imposée dans le viol autant que dans l'amour » (*AF*, 242) un sentiment ambigu. En outre, Djebar n'est pas convaincue que la mobilité de son corps et l'apprentissage du français la sauvent de l'aphasie des femmes cloîtrées :

> Laminage de ma culture orale en perdition : expulsée à onze, douze ans de ce théâtre des aveux féminins, ai-je par là même été épargnée du silence de la mortification ? Écrire les plus anodins des souvenirs d'enfance renvoie donc au corps dépouillé de voix. (*AF*, 177-178)

Ainsi, la jeune fille échappe au mutisme collectif, mais en vit un autre : individuel et rattaché à l'entreprise autobiographique car toute écriture relatant les souvenirs d'enfance demeure sans voix, sans écho. De plus, rejetée du monde intérieur féminin, propulsée dans le monde extérieur masculin, comment l'écrivaine peut-elle véhiculer la parole des femmes voilées sans les trahir, elle-même devenue, dans une certaine mesure, l'autre ? Comment celle qui circule au-dehors peut-elle, en somme, traduire l'arabe féminin des incarcérées, un arabe jamais exposé au soleil, un « arabe souterrain[36] » ?

Violence de l'autohétérobiographie

Le désir de Djebar n'est sûrement pas de parler à la place des femmes condamnées au silence, mais de parler avec elles, à leur côté. Dans la préface de *Femmes d'Alger*, l'auteure écrivait déjà : « Ne pas prétendre "parler pour", ou pis "parler sur", à peine parler près de, et si possible tout contre [...][37]. » Il n'est toutefois pas facile de parler tout contre, tout près, dès lors qu'elle a été éloignée de ces femmes depuis son enfance, qu'elle a été exclue du monde et du langage souterrains[38]. L'œuvre djebarienne témoigne de cette douleur en même temps qu'elle est traversée par un sentiment de culpabilité. Dans *L'amour, la fantasia*, ce sentiment n'est pas tant attaché au fait d'écrire dans la langue de l'autre (car la langue, « ma » langue n'est-elle pas toujours « autre », altérée par cette impossibilité de la posséder ?) que de réécrire le viol de l'Algérie, cette pénétration étrangère à travers les seuls textes de ses envahisseurs. L'histoire de la conquête de l'« Algérie-femme » (*AF*, 69) ayant été écrite, *donnée* par les hommes français, son interprétation ne peut se faire que par l'entremise de ceux-ci. En ce sens, si Djebar parle effectivement tout contre les femmes algériennes, elle ne peut le faire qu'en restant assez près, pour ne pas dire tout près, des textes des conquérants.

36. Djebar utilise cette belle expression dans l'« Ouverture » aux *Femmes d'Alger dans leur appartement*, *op. cit.*, p. 7.

37. *Ibid.*, p. 8.

38. Dans *Vaste est la prison*, Djebar ouvre son « roman » par un incident qui relate l'écart qui la sépare du langage souterrain des femmes voilées. Lors d'un après-midi au hammam, la narratrice entend une amie de sa belle-mère dire qu'elle ne peut s'attarder au bain aujourd'hui, car « l'ennemi » (« *l'e'dou* ») est à la maison. À ce mot qui désigne le mari, la narratrice s'étonne parce que la dame ne paraît nullement malheureuse, ce à quoi sa belle-mère rétorque : « Son mari, mais il est comme un autre mari !... L'"ennemi", c'est une façon de dire ! [...] les femmes parlent ainsi entre elles depuis bien longtemps... Sans qu'ils le sachent, eux !... » (p. 14)

De 1830 à 1835, une prolifération de textes circulent dans Paris, créant une « littérature » (*AF*, 56) autour de la prise d'Alger. Écrivains, peintres, commandants, soldats, ethnographes, géographes, linguistes, docteurs… personne n'échappe à cette « démangeaison de l'écriture » (*AF*, 56), à l'envie irrésistible de revivre la conquête de l'Algérie à travers leur regard, leurs mots, comme si l'écriture permettait de reconquérir la terre algérienne, de revivre le plaisir, autant dire la jouissance, de la possession. Ainsi, des combats sanglants qui ont lieu en octobre 1840 à Oran, le capitaine Bosquet écrit, dans sa correspondance au capitaine Montagnac : « "Notre petite armée est dans la joie et les festins […]. On respire dans toute la ville une délicieuse odeur de grillades de mouton et de fricassées de poulet…" » (*AF*, 67). À cette lettre dans laquelle Bosquet se délecte de l'odeur des incendies provoqués lors d'une nuit de pillage, Montagnac répond, dans le même élan d'enthousiasme : « "Ce petit combat offrait un coup d'œil charmant. […] un panorama délicieux et une scène enivrante" » (*AF*, 67). Cette correspondance, de même que d'autres lettres d'officiers adressées à leur mère, à leur femme ou à tout autre membre de leur famille, ainsi que les rapports envoyés à la métropole aux supérieurs, nourrissent de façon considérable ce qui constituera les archives coloniales. En cette époque dominée par la production d'un « savoir » sur l'Orient, le mot devient « l'arme par excellence » (*AF*, 56). Il s'agit donc pour Djebar de s'approprier, à son tour, cette arme afin de subvertir le pouvoir textuel des documents orientalistes en s'attardant sur les détails, les hiatus, les silences[39]. Certains détails négligemment glissés par Bosquet acquièrent une grande importance dans *L'amour, la fantasia* et deviennent des éléments-clés de la réécriture de la conquête. Par exemple, les sept femmes cruellement abattues pour avoir insulté des soldats français sont des détails échappés par Bosquet qui leur reproche d'avoir *choisi* leur mort en se présentant en injurieuses. Sous la plume de Djebar, elles deviennent des preuves de la brutalité coloniale, des héroïnes qui ont eu le courage d'affronter leurs adversaires, bien que n'étant pas armées.

« S'approprier » le mot, le détail dans le but d'écrire sur et par-dessus l'événement n'est cependant pas toujours le terme exact, car cette arme, la narratrice la reçoit aussi du colonel Pélissier, celui qui, sous les ordres du maréchal Bugeaud, fait enfumer les grottes des Ouled Riah,

39. Sur le rapport entre pouvoir et savoir analysé par Michel Foucault et repris par Edward Said au sujet de la production des discours « savants » sur l'Orient, voir l'incontournable essai de Said : *Orientalism*, New York, Vintage Books, 1978.

le 19 juin 1845, et incendie 1500 personnes. À la suite de ce feu, Pélissier, envahi par le remords, ordonne de sortir les cadavres des grottes, tendant l'« arme » à la narratrice : « Les corps exposés au soleil, les voici devenus mots » (*AF*, 89). Le rapport du colonel, qui lui vaudra le titre de barbare et qui fera qu'il sera décrié par ses compatriotes, Djebar le reçoit comme un palimpseste qui lui permet de réécrire l'histoire de la guerre franco-algérienne : « Pélissier, l'intercesseur de cette mort longue [...] me tend son rapport et je reçois ce palimpseste pour y inscrire à mon tour la passion calcinée des ancêtres » (*AF*, 93). Grâce à ce dernier, à qui elle « se hasarde à dévoiler sa reconnaissance incongrue » (*AF*, 93), la narratrice inscrit la voix des victimes étouffées par les flammes. Ce rapport n'est pas le seul à lui servir de palimpseste puisqu'elle relit, *surlit*, comme l'indique Anne Donadey, plusieurs textes des archives coloniales. S'inspirant du concept de « *transfocalisation* narrative » étudié par Gérard Genette dans *Palimpsestes*, Donadey précise que Djebar n'efface pas totalement le contenu des documents coloniaux, mais superpose son écriture à celle des écrits officiels, car il n'est pas question pour l'écrivaine de nier l'Histoire, mais de la mettre en relation avec l'histoire transmise par la tradition orale. Donadey souligne néanmoins que le geste de gratter la surface des textes n'est pas dénué de violence et qu'en outre, un palimpseste réussi se reconnaît par l'extrême violence de son processus :

> *L'amour, la fantasia* met l'accent sur le double aspect de cette mise en relation, qui permet de survivre à la violence de l'histoire tout en portant en germe la possibilité de faire à nouveau violence. L'action d'écrire sur le palimpseste est en soi un acte de violence, puisqu'il s'agit de faire disparaître une inscription afin de le recouvrir d'une autre. Le palimpseste peut donc servir de métaphore du processus colonial, qui implique le violent effacement de l'histoire, de la culture, et du mode de vie d'un peuple afin de les remplacer par ceux du colonisateur. Comme pour le processus colonial, un palimpseste réussi impliquerait l'effacement complet de l'inscription précédente [...][40].

Djebar n'opère toutefois pas cette violence radicale sur les archives puisqu'elle cite des extraits de ces documents à maints endroits, en les questionnant certes, mais en leur rendant à tout le moins leur place.

La violence s'adresse peut-être davantage aux femmes qui participent à l'histoire de ce palimpseste. Françoise Lionnet croit que les textes autobiographiques d'auteurs post-coloniaux peuvent être lus comme une forme de palimpseste — verbal plutôt que visuel —, ceux-ci s'écri-

40. Anne Donadey, *loc. cit.*, p. 104-105.

vant dans une langue superposée à une autre langue[41]. Suivant ce postulat et tenant compte des propos de Donadey, le français porte ainsi violence au berbère, de sorte que l'écriture-palimpseste de Djebar reproduit, dans cette veine, la violence coloniale. Vouloir jeter la lumière sur des faits omis dans les livres officiels comporte le risque de jeter un autre voile sur ceux-ci. En relatant les événements vécus lors de la guerre de 1956 par Chérifa — une des femmes interviewées pour son film *La nouba des femmes du mont Chenoua* (1978) —, l'auteure s'interroge notamment sur la transcription de l'histoire de cette dernière qui, à treize ans, a « subi la France » (*AF*, 226), c'est-à-dire qui a été violée : « Petite sœur étrange qu'en langue étrangère j'inscris désormais, ou que je voile » (*AF*, 160). Elle ira jusqu'à dire que son dessein de déterrer sa voix ne fait peut-être que l'ensevelir davantage : « Les mots que j'ai cru te donner s'enveloppent de la même serge de deuil que ceux de Bosquet ou de Saint-Arnaud » (*AF*, 161). Par conséquent, dévoiler l'expérience de ces femmes, les *mettre à nu* comme le souligne son arabe dialectal (*AF*, 178), représente un geste de violence qui n'est pas sans rappeler l'entreprise de rapine dénoncée par la narratrice : « [...] cette mise à nu, déployée dans la langue de l'ancien conquérant [...] renvoie étrangement à la mise à sac du siècle précédent » (*AF*, 178). La fonction testimoniale que veut donner Djebar à son « roman », puisque son but est de « [d]ire à [s]on tour. Transmettre ce qui a été dit, puis écrit » (*AF*, 187), se trouve dès lors remise en question. À propos de la transmission des récits de femmes, elle constate douloureusement la difficulté de concrétiser son désir de filiation : « *Je crois faire le lien, je ne fais que patouiller, dans un marécage qui s'éclaire à peine* » (*AF*, 244, en italique dans le texte).

Nourrissant le désir de cicatriser la blessure de ses compatriotes, Djebar n'est pas sans savoir qu'elle risque d'aggraver l'ablation culturelle. En effet, loin de guérir une mémoire mutilée, l'écriture autohétérobiographique s'avère plutôt menaçante pour soi mais aussi, et surtout, pour les autres, comme si l'écriture devenait une autohétéromutilation :

> Tenter l'autobiographie par les seuls mots français, c'est, sous le lent scalpel de l'autopsie à vif, montrer plus que sa peau. Sa chair se desquame, semble-t-il, en lambeaux du parler d'enfance qui ne s'écrit plus. Les blessures s'ouvrent, les veines pleurent, coule le sang de soi et des autres, qui n'a jamais séché. (*AF*, 178)

41. Françoise Lionnet, *op. cit.*, p. 23. L'analyse de cet aspect de Lionnet concerne le roman autobiographique de l'auteure mauricienne Marie-Thérèse Humbert, *À l'autre bout de moi* (Paris, Stock, 1979).

La pratique autohétérobiographique dans la langue de l'autre implique non seulement un arrachement du voile, mais aussi un arrachement de la peau, une entaille dont le sang répandu déborde sur l'écriture pour l'effacer, la faire taire. Dans *Vaste est la prison*, Djebar écrit, toujours à propos de son désir de ressusciter les morts par les mots : « À force d'écrire sur les morts de ma terre en flammes, le siècle dernier, j'ai cru que le sang des hommes aujourd'hui (le sang de l'Histoire et l'étouffement des femmes) remontait pour maculer mon écriture, et me condamner au silence[42]. » Écrire sur soi et sur ses compatriotes en langue française, c'est espérer inscrire la « parole sans écriture » des Algériens, en particulier des femmes, tout en redoutant que cette parole ne se transforme en une « *parole sang-écriture*[43] », c'est-à-dire une parole qui fait couler plus de sang que d'encre, une parole meurtrie, étouffée par les guerres fratricides de l'Algérie post-coloniale.

(Dé)voilement

La violence et les dangers de l'écriture autobiographique dans la langue adverse sont grands et Djebar ne prétend pas les contourner. Si le français semble s'opposer à son désir de se dévoiler et de dévoiler le récit des femmes, il est pourtant ce qui lui permet de s'avancer sans tout à fait se montrer et de lever le voile sans brutalement l'arracher. Maintes fois, elle a affirmé que l'emploi de la langue française symbolise pour elle un voile, « [v]oile non de la dissimulation ni du masque, précise-t-elle, mais de la suggestion et de l'ambiguïté [...] » (*V*, 43). Le français représente donc un voile qui la révèle tout en la protégeant d'une exposition impudique. Pour Djebar, l'écriture en langue française est une façon, non pas de se cacher sous cette langue ni de se parer d'un masque, mais de se montrer derrière un voile transparent, un moyen de se détourner d'une mise à nu insupportable puisque, comme le rappelle Derrida, « [l]a nudité reste peut-être insoutenable[44] ». La nudité, l'exposition que suppose le projet autobiographique est en effet insoutenable pour Djebar, « [c]ar si écrire c'est s'exposer, s'afficher à la vue des autres, se voiler même écrivant a été, pour moi, un mode naturel » (*V*, 98). *L'amour, la fantasia* peut être considéré comme un récit qui expose, plus que l'auteure, les difficultés d'une exposition de soi, à l'instar du

42. Assia Djebar, *Vaste est la prison*, *op. cit.*, p. 337.

43. Je reprends ici l'expression employée par Djebar dans *Le blanc de l'Algérie*, *op. cit.*, p. 275.

44. Jacques Derrida, « L'animal que donc je suis », *loc. cit.*, p. 301.

Monolinguisme de l'autre dans lequel Derrida écrit : « Plutôt que l'exposition de moi, ce serait l'exposé de ce qui aura fait obstacle, pour moi, à cette auto-exposition » (*M*, 131). Selon Derrida, l'écriture autobiographique — au même titre que la traduction — est un autre nom de l'impossible et chaque tentative de retour à soi ou sur soi inscrit l'échec de la traduction d'une vie, de l'impossibilité de traduire une mémoire inaccessible. Il spécifie, dans ce texte pourtant autobiographique, que « [c]e [qu'il] ébauche ici, ce n'est surtout pas le commencement d'une esquisse d'autobiographie ou d'anamnèse, pas même un timide essai de *Bildungsroman* intellectuel » (*M*, 131). La conclusion à laquelle en arrive Derrida rejoint de manière évidente celle de Djebar au sujet de sa pratique autobiographique : « Ainsi, à peine ai-je voulu, en développant ce thème de l'anamnèse, établir un bilan, que déjà le contraire du projet se présente et s'impose » (*V*, 139).

Pour Djebar, le désir de l'autobiographie s'exprime par un élan retenu, par la conscience des dangers et de la contradiction de ce désir. Le voile que représentent le français et la fiction est finalement ce qui rend supportable la mise à nu de son écriture autobiographique et qui empêche le *dévoilement* d'être un *dévoiement* (*V*, 64). « L'autobiographie pratiquée dans la langue adverse se tisse comme fiction, du moins tant que l'oubli des morts charriés par l'écriture n'opère pas son anesthésie » (*AF*, 243). La fiction devient en ce sens une façon de penser/panser ses blessures[45], et la fin de *L'amour, la fantasia* est fort révélatrice de ce désir d'atténuer la douleur par l'écriture. Encore là, la cicatrisation ne peut se faire que par l'entremise d'un Français : « Eugène Fromentin me tend une main inattendue, celle d'une inconnue qu'il n'a jamais pu dessiner » (*AF*, 255). En juin 1853, sur son chemin de départ du Sahel, Fromentin ramasse la main coupée d'une Algérienne qu'il jette ensuite et qu'il n'aura jamais la force de peindre : « Plus tard, je me saisis de cette main vivante, main de la mutilation et du souvenir et je tente de lui faire porter le "qalam" » (*AF*, 255). En faisant porter le « crayon » à cette Algérienne inconnue, dont la main mutilée est le symbole d'une Algérie violée et abandonnée, Djebar tente de (se) guérir (de) la blessure coloniale. Dans cette veine, le choix de son pseudonyme peut être lu comme un voile à double fonction : un voile préservant l'auteure

45. Dans *Ces voix qui m'assiègent* (p. 233), Djebar joue sur l'homonymie de ces deux termes en précisant que la fiction lui a permis de *penser* et de *panser* les blessures dans *Les nuits de Strasbourg* (Paris, Actes Sud, 1997). Or, comme l'article présent a tenté de le montrer, l'équivoque peut de toute évidence renvoyer à *L'amour, la fantasia* et à l'ensemble de l'œuvre djebarienne.

d'une exposition indécente et un voile servant à apaiser les plaies. En somme, ce pseudonyme annonçait sans doute déjà une tentative de guérison puisque « djébar », en arabe dialectal, signifie « guérisseur[46] », et « assia », « celle qui console, qui accompagne de sa présence[47] ». Néanmoins, si Djebar apporte une certaine consolation aux femmes algériennes en restituant leur voix, si bien que l'écriture de *L'amour, la fantasia* permet une forme de guérison, l'écriture dans la langue française empêche par ailleurs la blessure de totalement se fermer, impossible cicatrisation qui demeure justement une ouverture à l'écriture.

46. Katherine Gracki, *loc. cit.*, p. 835. Gracki emprunte cette traduction à Clarisse Zimra dans sa préface à la version anglaise de *Femmes d'Alger dans leur appartement* (*Women of Algiers in Their Apartment*, trad. Marjolijn de Jager, Charlottesville, University Press of Virginia, 1992). Calle-Gruber, de son côté, souligne que « djebar », en arabe classique, signifie « intransigeance ». Mireille Calle-Gruber, *op. cit.*, p. 11.

47. Mireille Calle-Gruber, *op. cit.*, p. 11.

Les natures mortes de Chardin : l'échec de l'écriture dans les *Salons* de Diderot

MAGALI GASSE-HOULE

Je suis heureux quand j'admire
Salon de 1759

Les salons

Les *Salons* sont, pour Diderot, une occasion non seulement d'élaborer des théories esthétiques en tentant d'analyser ses goûts et ses dégoûts, d'expliquer ses jugements sur les artistes de son temps — et de ce fait d'inaugurer, en quelque sorte, la critique d'art moderne —, mais aussi et peut-être surtout d'écrire, de faire, grâce à la peinture, de la littérature, et de la littérature sous toutes ses formes...

> Tout y est en effet, depuis la plus haute méditation jusqu'à la polissonnerie la plus crue (car chez Diderot, « le pied du satyre passe toujours »). À l'intérieur d'un même *Salon* et d'un tableau à l'autre, il fait alterner non seulement tous les tons, mais tous les genres littéraires — le discours, la satire, la narration, la prosopopée, avec une inépuisable ingéniosité. [...]
>
> D'un *Salon* à l'autre, il recherche une présentation nouvelle, espérant conserver, « par le choix d'une forme originale, le charme de l'intérêt à une matière usée ». Le *Salon* de 1769 est écrit sous forme de lettres, celui de 1775, sous forme de dialogue. Au vrai, tous les *Salons* sont des conversations[1].

Il est à noter que les *Salons* s'adressent tant à Grimm et aux lecteurs de la *Correspondance littéraire* qu'aux artistes eux-mêmes, auxquels Diderot prodigue de judicieux conseils. C'est que le tableau, à la fois plein et pourtant muet, permet à Diderot, toujours en instance de

1. Jean Seznec, « Introduction » dans Denis Diderot, *Salons*, vol. I, 1759-1761-1763, Oxford, The Clarendon Press, 1957, p. 14.

dialogue[2], de parler aux autres : le tableau provoque l'écriture. Ainsi les œuvres de Greuze, de Vernet, de Fragonard, à titre d'exemples, portent en elles-mêmes, au-delà de ce qu'autorise la description, toute une histoire contenue qu'il s'agit de raconter : chez Greuze, le mélodrame d'une « jeune fille pleurant son oiseau mort » ; chez Vernet, une pastorale réunissant le critique, un certain abbé et ses élèves dans « une campagne voisine de la mer et renommée par la beauté de ses sites[3] », de ses paysages ; chez Fragonard, *Corésus et Callirhoé* se transforme, dans « l'antre de Platon », en rêve…

Or, soudain, la verve des *Salons* s'assourdit, s'amenuise : face aux natures mortes de Chardin, Diderot manifeste une certaine gêne, et cela en dépit de sa très vive admiration[4]. De ces tableaux, où la mort offre l'illusion de la vie, où le silence parle uniquement aux yeux et à l'âme, l'écriture se révèle impuissante à expliquer la beauté. La peinture chez Chardin, « peinture pure » de tout mot, ne se laisse guère saisir par l'écriture. Diderot, qui croyait au parallèle des arts, à leur contamination bénéfique et réciproque, fait l'expérience de l'altérité d'une peinture totalement étrangère à la littérature.

Car les moyens qu'utilise le critique, les détours qu'il emprunte pour dire le peintre apparaissent singulièrement inefficaces, ils tournent autour d'un indicible secret, ils n'appréhendent que du silence. La des-

2. Voir l'article de Jean Starobinski, « Diderot et la parole des autres », *Critique*, juin 1972, p. 3-22. L'auteur reprend cette idée en présentant les *Salons* : « L'occasion s'offrait à Diderot de parler comme il aimait à parler : à une personne déterminée, dans un moment déterminé, devant une série d'objets déterminés, mais en pensant à des destinataires éloignés dans l'espace et dans le temps » (*Id.*, *Diderot dans l'espace des peintres* suivi de *Le sacrifice en rêve*, Paris, Réunion des musées nationaux, 1991, p. 11).

3. Denis Diderot, *Salon de 1767*, dans *Salons*, vol. III, 1767, Oxford, The Clarendon Press, 1963, p. 129. Dans cet article, seule cette édition sera utilisée (le volume II comprend le *Salon* de 1765 et le volume IV ceux de 1769, 1771, 1775 et 1781). Dorénavant, les références à ces ouvrages seront indiquées par le mot *Salon* suivi de la date et du numéro de la page. L'orthographe des citations n'a pas été modernisée.

4. Comme l'ont d'ailleurs remarqué Pierre Rosenberg et René Démoris : « Mais a-t-on suffisamment prêté attention à l'embarras de l'écrivain lorsqu'il parle de son peintre favori ? L'admiration de Diderot est sans réserve, les mots pour la traduire sont ceux d'un merveilleux poète, mais Diderot, et c'est par là que son approche nous touche, semble doublement gêné » (Pierre Rosenberg, « Diderot et la peinture » dans *Diderot et l'art de Boucher à David. Les Salons : 1759-1781. Hôtel de la Monnaie 5 octobre 1984 - 6 janvier 1985*, Paris, Réunion des musées nationaux, 1984, p. 98) et « Il y a plus d'une raison pour parler de silence à propos du rapport entre Chardin et Diderot, la plus voyante étant le contraste entre l'importance reconnue par le critique au peintre et l'étendue relativement modeste des textes qu'il lui consacre » (René Démoris, « Diderot et Chardin : la voie du silence », *Diderot les Beaux-Arts et la musique. Actes du colloque international tenu à Aix-en-Provence les 14, 15 et 16 décembre 1984*, Aix-en-Provence, Université de Provence, 1986, p. 43).

cription des objets représentés sur la toile se bute à leur trivialité : ces objets sont dépourvus de toute histoire étant, précisément, trop familiers, trop connus ; il n'y a donc rien à en dire — sinon que de les nommer. Si, dès lors, Diderot s'attache à l'analyse du « technique[5] » afin de comprendre — par les outils du peintre — la singularité des œuvres de Chardin, cette étonnante qualité du « faire », cette « manière » unique sont très vite qualifiées de « magie », terme qui dit beaucoup certes, quant à la forte sensation produite chez le spectateur, mais qui n'explique rien. En fait, cette « magie » relève de l'homme même, de son génie. Or, nulle part dans les *Salons*, Diderot ne qualifie Chardin de génie. Sous peine de faire éclater la hiérarchie des genres, il lui est impossible de passer de la main — d'une habileté incomparable — à l'homme. L'individu, le grand homme s'avère donc, lui aussi, insaisissable.

Ainsi de quelque façon que l'écriture tente de cerner les natures mortes de Chardin (que ce soit par le biais des objets, du « technique » ou encore de l'homme), elle se trouve dans une impasse : les tableaux de Chardin demeurent clos sur leur mystère, comme si, parfois, l'écriture ne pouvait rendre compte de la peinture, comme si la peinture n'avait pas toujours besoin de l'écriture pour exister...

Les objets

Pour Diderot, il est une loi sévère et nécessaire que tout artiste, peintre de genre ou peintre d'histoire, doit respecter : la vérité. Tout doit être vrai, tout doit être conforme à la nature : « Toute composition digne d'éloge est en tout et partout d'accord avec la nature[6]. » Certes l'art transpose, il est fondamentalement métaphore, image du réel, mais l'imitation doit être scrupuleuse. L'artiste doit s'astreindre à observer, à connaître, d'abord, la nature ; et dans ce regard, le peintre est tout entier, comme le déclare Chardin lui-même : « Il faut apprendre à l'œil à regarder la nature ; et combien ne l'ont jamais vue et ne la verront jamais ! C'est le supplice de notre vie » (*Salon de 1765*, 58). Car il s'agit, en définitive, de savoir restituer la vie, de savoir rendre l'art vivant. L'art est grand et art uniquement lorsque, de la mort, il donne l'illusion de la vie, lorsqu'il trompe le spectateur.

5. Diderot emploie le mot au masculin ; nous conserverons ce genre.

6. Denis Diderot, *Pensées détachées sur la peinture, la sculpture et la poésie pour servir de suite aux Salons* dans *Œuvres. Esthétique-Théâtre*, t. IV, Paris, Robert Laffont, 1996, p. 1024. Dorénavant désigné à l'aide du sigle (*PDP*) suivi du numéro de la page.

> Ah ! mon ami, crachez sur le rideau d'Apelle et sur les raisins de Zeuxis. On trompe sans peine un artiste impatient et les animaux sont mauvais juges en peinture. N'avons-nous pas vu les oiseaux du jardin du Roi aller se casser la tête contre la plus mauvaise des perspectives ? Mais c'est vous, c'est moi que Chardin trompera quand il voudra. (*Salon de 1763*, 223)

Ainsi les natures mortes de Chardin pourraient, tant elles sont vraies, faire partie du réel, « disponibles pour la main, pour l'usage pratique[7] », offertes à la gourmandise ou à la soif.

> C'est que ce vase de porcelaine est de la porcelaine ; c'est que ces olives sont réellement séparées de l'œil par l'eau dans laquelle elles nagent ; c'est qu'il n'y a qu'à prendre ces biscuits et les manger, cette bigarade l'ouvrir et la presser, ce verre de vin et le boire, ces fruits et les peler, ce pâté et y mettre le couteau[8]. (*Salon de 1763*, 222)

Chardin est plus que fidèle à la nature parce que ses toiles sont plus vivantes que la vie elle-même : ses objets sont, en fait, de chair : « Et ce Chardin, pourquoi prend-on ses imitations d'êtres inanimés pour la nature même ? C'est qu'il fait de la chair quand il lui plaît[9]. » Mais comment rendre compte de cette vie des choses ? Diderot n'utilise que la description. Toutefois, il décrit très platement les toiles de Chardin car ses descriptions sont, en somme, des énumérations : il ne fait que nommer, les uns à la suite des autres, les objets représentés[10].

> *Les attributs des sciences*
>
> On voit, sur une table couverte d'un tapis rougeâtre, en allant, je crois, de la droite à la gauche, des livres posés sur la tranche, un microscope, une clochette, un globe à demi-caché d'un rideau de taffetas verd, un thermomètre, un miroir concave sur son pied, une lorgnette avec son étui, des cartes roulées, un bout de télescope. (*Salon de 1765*, 112)

7. Jean Starobinski, *Diderot dans l'espace des peintres*, *op. cit.*, p. 26.

8. Et ailleurs : « [...] vous prendriez les bouteilles par le goulot, si vous aviez soif ; les pesches et les raisins éveillent l'appétit et appellent la main » (*Salon de 1759*, 66).

9. Denis Diderot, *Essais sur la peinture* dans *Essais sur la peinture. Salons de 1759, 1761, 1763*, Paris, Hermann, 1984, p. 24. Dorénavant désigné à l'aide du sigle (*EP*) suivi du numéro de la page. Il faut ici noter l'importance de la chair, du rendu de la chair pour Diderot : « Celui qui a acquis le sentiment de la chair, a fait un grand pas ; le reste n'est rien en comparaison » (*EP*, 22). Lorsqu'il commente la *Raie dépouillée*, le critique souligne cette adéquation entre chair et vérité : « L'objet est dégoûtant, mais c'est la chair même du poisson, c'est sa peau, c'est son sang ; l'aspect même de la chose n'affecterait pas autrement » (*Salon de 1763*, 223).

10. Il est ainsi une « manière à la Chardin » de décrire les objets : « Et pour faire sortir le décousu de tous ces objets, je vais décrire ce tableau-ci [*Manière de voyager en hiver* de Le Prince], comme si c'étoit un Chardin » (*Salon de 1765*, 175).

L'écriture est ici réduite à sa plus simple expression. Comme si à des objets de « nature basse, commune et domestique » (*Salon de 1761*, 125) devait répondre une langue plus que banale, celle de tous, de tous les jours. Seulement, pour donner à voir, l'écriture peut-elle se contenter de n'être qu'un nom, un nom commun : « Qu'est-ce que cette perdrix ? Ne la voyez-vous pas ? C'est une perdrix. Et celle-là ? C'en est une encore » (*Salon de 1769*, 84). Écrire, pointer du crayon, « une perdrix », quand bien même chacun possède une connaissance *a priori* de l'oiseau, ne peut faire surgir, du mot, l'image… Nommer, nommer le nom commun, n'est pas individualiser, c'est convoquer un ensemble indéfini de possibles, et dans ce « champ commun de la généralité[11] » tout est en somme interchangeable. Or, pour le peintre, chaque objet — chaque perdrix, chaque lapin — est unique, irremplaçable et possède sa qualité propre : il est un.

> Chardin est un si rigoureux imitateur de nature, un juge si sévère de lui-même, que j'ai vu de lui un tableau de *Gibier* qu'il n'a jamais achevé, parce que de petits lapins d'après lesquels il travaillait étant venus à se pourrir, il désespéra d'atteindre avec d'autres à l'harmonie dont il avait l'idée. Tous ceux qu'on lui apporta étaient ou trop bruns ou trop clairs. (*Salon de 1769*, 83-84)

Il y a donc un écart, un gouffre entre l'idée de la chose et la chose même, cette chose qui, sur la toile, n'a précisément pas de nom, mais bel et bien et seulement forme et couleur. Pour juger des œuvres de Chardin, Diderot affirme qu'il n'a qu'à garder les yeux que la nature lui a donnés et s'en bien servir (*Salon de 1763*, 222) — peut-être — mais le lecteur des *Salons* ne peut en aucun cas être sûr de voir les tableaux de Chardin en disposant sur un certain site des objets tels que Diderot les indique au fil de la phrase (*Salon de 1765*, 112).

> Imaginez une fabrique quarrée de pierre grisâtre, une espèce de fenêtre avec sa saillie et sa corniche. Jetez avec le plus de noblesse et d'élégance que vous pourrez, une guirlande de gros verjus qui s'étende le long de la corniche, et qui retombe sur les deux côtés. Placez dans l'intérieur de la fenêtre un verre plein de vin, une bouteille, un pain entamé, d'autres caraffes qui rafraîchissent dans un seau de faïence, un cruchon de terre, des radis, des œufs frais, une salière, deux tasses à café servies et fumantes, et vous verrez le tableau de Chardin. (*Salon de 1765*, 113)

11. Bernard Vouilloux, « La description du tableau dans les *Salons* de Diderot. La figure et le nom », *Poétique*, 1988, 73, p. 42.

Il semble quelque peu imprudent de penser que le partage d'une expérience commune du quotidien permette de déduire une œuvre d'art, et en l'occurrence ce tableau de *Rafraîchissemens*.

Si, d'autre part, Diderot ne parvient pas à dire la singularité des objets, si ces objets demeurent irréductibles à eux-mêmes, prisonniers d'un concept de dictionnaire, c'est sans doute parce que, dès le départ, le critique a consenti à leur silence. Les natures mortes de Chardin se taisent obstinément, elles sont plus que muettes, car non seulement elles appartiennent à la peinture de genre, mais à une peinture de genre pourvue d'un idéal « misérable » (*Salon de 1765*, 108), mesquin. Il n'existe aucune histoire possible de ces objets, ils ne suscitent aucune narration, car ils sont précisément trop familiers, tout est déjà connu d'avance[12]…

Le technique

Et cependant, les tableaux de Chardin sont extraordinairement beaux, ils sont même uniques ; la manière du peintre se distingue entre toutes : « Il ne faut à Chardin qu'une poire, une grappe de raisin pour signer son nom » (*Salon de 1769*, 84). Puisque le sujet des tableaux se révèle pauvre et inintéressant, seul « le sublime du technique » (*Salon de 1765*, 108) permet d'expliquer l'admiration inconditionnelle de Diderot pour Chardin. (D'ailleurs, combien de peintres de natures mortes sont qualifiés de « victimes de Chardin » parce que, précisément, ils ne possèdent pas son « faire »[13] ?) Ainsi ce qui, au-delà du critère d'imitation, importe avant tout est la peinture même : les couleurs, les reflets, l'harmonie des compositions. Et, chez Chardin, Diderot reconnaît « une vigueur de couleur incroyable, une harmonie générale, un effet piquant et vrai, de belles masses […], un ragoût dans l'assortiment et l'ordonnance » (*Salon de 1767*, 128). Cependant, ses réflexions d'ordre technique demeurent assez vagues[14], il n'analyse pas véritablement la facture des tableaux.

12. Aussi, Diderot semble vouloir donner une leçon de choses à Chardin en préférant un vase de son imagination (et à forte connotation historique) à ces objets trop utilitaires et trop triviaux tels qu'il s'en trouve dans les natures mortes du peintre : « Pourquoi me placer sur ce buffet nos maussades ustensiles de ménage ? Est-ce que ces fleurs seront plus brillantes dans un pot de manufacture de Nevers que dans un vase de meilleure forme ? Et pourquoi ne verrais-je pas autour de ce vase une danse d'enfants, les joies du temps de la vendange, une bacchanale ? Pourquoi si ce vase a des anses, ne les pas former de deux serpents entrelacés ? Pourquoi la queue de ces serpents n'irait-elle pas faire quelques circonvolocutions à la partie inférieure ? Et pourquoi leurs têtes penchées sur l'orifice ne sembleraient-elles pas y chercher l'eau pour se désaltérer ? » (*EP*, 68)

13. Desportes le neveu, Roland de la Porte, entre autres (*Salon de 1763*, 230-231).

14. Les *Essais sur la peinture* apparaissent beaucoup plus savants et en quelque sorte plus satisfaisants dans la mesure où de nombreux passages peuvent s'appliquer directement aux

Ou bien, il déclare emphatiquement que Chardin est « le maître à tous pour l'harmonie » (*Salon de 1769*, 82), que « [c']est celui-ci qui entend l'harmonie des couleurs et des reflets » (*Salon de 1763*, 222). Ou bien, il évoque très succinctement le jeu des couleurs : « Les biscuits sont jaunes, le bocal est verd, la serviette blanche, le vin rouge, et ce jaune, ce verd, ce blanc, ce rouge, mis en opposition, récréent l'œil par l'accord le plus parfait[15] » (*Salon de 1765*, 113). En fait, Diderot s'applique davantage à étudier la façon de peindre de Chardin, son « faire rude et comme heurté » (*Salon de 1761*, 125).

> Ce faire [...] est long et pénible. Il faut à chaque coup de pinceau, ou plutôt de brosse ou de pouce, que l'artiste s'éloigne de sa toile pour juger de l'effet. De près l'ouvrage ne paraît qu'un tas informe de couleurs grossièrement appliquées. Rien n'est plus difficile que d'allier ce soin, ces détails, avec ce qu'on appelle la manière large. Si les coups de force s'isolent et se font sentir séparément, l'effet du tout est perdu. Quel art il faut pour éviter cet écueil ! Quel travail que celui d'introduire entre une infinité de chocs fiers et vigoureux une harmonie générale qui les lie et qui sauve l'ouvrage de la petitesse de la forme ! Quelle multitude de dissonances visuelles à préparer et à adoucir ! [...] Ce genre heurté ne me déplaît pas. (*Salon de 1763*, 226)

Certes Diderot parle éloquemment du « faire » de Chardin, mais il n'en demeure pas moins que ce dernier demeure imperméable, en un certain point, à l'analyse, il demeure le secret du peintre : « On dit de celui-ci qu'il a un technique qui lui est propre et qu'il se sert autant de son pouce que de son pinceau. Je ne sais ce qui en est ; ce qu'il y a de sûr, c'est que je n'ai jamais connu personne qui l'ait vu travailler » (*Salon de 1767*, 128). Cette question insoluble — comment la main appose sur la toile les couleurs — semble, de prime abord, anodine ou accessoire, mais elle s'avère symptomatique d'une incapacité à dire ce qui fondamentalement caractérise la manière de Chardin. Et en effet, Diderot constate que, ni tout à fait pouce ni tout à fait pinceau, l'outil que tient la main ressemble davantage à une baguette de magicien : « Chardin est un vieux magicien à qui l'âge n'a pas encore ôté sa baguette » (*Salon de 1769*, 83). Tout ne peut donc pas être expliqué, la critique témoigne de sa faillite face à cette extraordinaire « magie » de Chardin dont « le spectateur sent l'effet, sans pouvoir en deviner la cause » (*PDP*,

œuvres de Chardin, entre autres, la théorie des reflets comme le remarque Gita May (*EP*, 32 et note 39).

15. Autre exemple de cette concision : « [Les modèles de ses deux petits *Bas-reliefs*] sont blancs, et il n'y a ni noir ni blanc ; pas deux tons qui se ressemblent, et cependant le plus parfait accord » (*Salon de 1769*, 84).

1041)[16]. Et, cette « magie » est ce qui fait que, soudain, à la surface de la toile affleure la nature, la vie : « O Chardin ! ce n'est pas du blanc, du rouge, du noir que tu broies sur ta palette : c'est la substance même des objets, c'est l'air et la lumière que tu prends à la pointe de ton pinceau et que tu attaches sur la toile[17] » (*Salon de 1763*, 222).

Le génie

Sur ce passage de l'huile et du pigment au réel même[18] (dans lequel réside tout le charme et l'attrait, la grandeur et la beauté des œuvres de Chardin), il est difficile à Diderot d'écrire ; car il faut bien l'admettre, cette « magie », ce « je ne sais quoi » relève de l'homme et est nécessairement l'attribut d'un génie : « il y a dans les hommes de génie [...], je ne sais quelle qualité d'âme particulière, secrète, indéfinissable, sans laquelle on n'exécute rien de très grand et de très beau[19] ». Or, nulle part dans les *Salons*, le critique ne qualifie Chardin de génie[20]. Au contraire, le genre que pratique Chardin « ne demande que de l'étude et de la patience. Nulle verve ; peu de génie ; guère de poésie ; beaucoup de technique et de vérité ; et puis, c'est tout » (*Salon de 1765*, 111). Aussi, il apparaît au philosophe plus difficile de faire un portrait qu'une nature

16. Aussi, il y a, partout dans les *Salons*, beaucoup d'incertitude quant au « faire » de Chardin ; plus d'une fois Diderot se montre désarmé : « Il n'a point de manière ; je me trompe, il a la sienne. Mais puisqu'il a une manière sienne, il devroit être faux dans quelques circonstances, et il ne l'est jamais. Tâchez, mon ami, de vous expliquer cela » (*Salon de 1765*, 114) ; « On ne sait où est le prestige, parce qu'il est partout » (*Salon de 1769*, 82). Aussi, le philosophe emploie abondamment les termes « magie »/« magicien », termes qui disent tout mais n'expliquent rien. Et tout naturellement, lorsqu'il fait son constat de l'« état actuel de l'École française » à la fin du *Salon de 1767*, au nom de Chardin, Diderot récidive et résume : « [le] plus grand magicien que nous ayons eu » (*Salon de 1767*, 317).

17. Ainsi cette déclaration — qui se trouve dans le même *Salon*, quelques pages avant — ne s'applique justement pas à Chardin : « ce que le peintre broie sur sa palette, ce n'est pas de la chair, de la laine, du sang, la lumière du soleil, l'air de l'atmosphère, mais des terres, des sucs de plantes, des calcinés, des pierres broyées, des chaux métalliques » (*Salon de 1763*, 217).

18. La magie étant, selon la définition de Pernéty, « le terme employé par métaphore dans la *peinture*, pour exprimer le grand art à représenter les objets avec tant de vérité, qu'ils fassent illusion [...] Cette *magie* ne dépend pas des couleurs prises en elles-mêmes, mais de leur distribution, suivant l'intelligence de l'artiste dans le clair-obscur » (Pernéty, *Dictionnaire portatif de peinture, sculpture et gravure* cité dans *Essais sur la peinture*, *op. cit.*, p. 276).

19. Denis Diderot, *Note sur le génie* citée dans Jacqueline Lichtenstein (dir.), *La peinture*, Paris, Larousse, 1995, p. 765.

20. Contrairement à Greuze (*Salon de 1765*, 148) et à Vernet (*Salon de 1763*, 229), autres peintres de genre pourtant. On sait, par ailleurs, l'importance de cette notion de génie — car le génie fait toute la différence en ce qui a trait à la création artistique — dans la pensée et l'œuvre de Diderot.

morte : « Je n'ignore pas que les modèles de Chardin, les natures inanimées qu'il imite ne changent ni de place, ni de couleur, ni de formes ; et qu'à perfection égale, un portrait de La Tour a plus de mérite qu'un morceau de genre de Chardin » (*Salon de 1767*, 128). D'ailleurs, Diderot trouvera les études au pastel de Chardin un peu maniérées (*Salon de 1775*, 282) et ses scènes domestiques pas tout à fait détestables, mais peu s'en faut[21]. Aussi, malgré cette infériorité incontestable de la nature morte dans la classification des genres[22], partout dans les *Salons* sourd l'innommable génie de Chardin[23]. Il est tantôt Dieu :

> S'il est vrai, comme le disent les philosophes, qu'il n'y a de réel que nos sensations ; que ni le vide de l'espace, ni la solidité même des corps n'est peut-être rien en elle-même de ce que nous éprouvons ; qu'ils m'apprennent, ces philosophes, quelle différence il y a pour eux à quatre pieds de tes tableaux entre le créateur et toi. (*Salon de 1765*, 111)

Tantôt Diable : « Mais être chaud et principié, esclave de la nature et maître de l'art, avoir du goût et de la raison, c'est le Diable à confesser[24] » (*Salon de 1769*, 83).

Ce qui fait donc la « magie » des œuvres de Chardin, c'est bel et bien l'unicité de leur manière, l'habileté incomparable de la main qui peint, main d'un Dieu ou d'un Diable, ou peut-être encore d'un génie[25], mais en tout cas très sûrement, main de l'homme Chardin. Seulement, une fois de plus, ne remettant pas en cause la très académique échelle hiérarchique, il est impossible à Diderot de passer de la main à l'homme Chardin, de dire cet homme, son génie.

21. « C'est dommage que Chardin mette sa manière à tout, et qu'en passant d'un objet à un autre elle devienne quelquefois lourde et pesante. Elle se conciliera à merveille avec l'opaque, le matte, le solide des objets inanimés ; elle jurera avec le vivant, la délicatesse des objets sensibles » (*Salon de 1769*, 83).

22. Il est entendu que la nature morte se situe au plus bas parce que, d'une part, elle ne convoque aucun « modèle idéal » et que, d'autre part, elle n'embellit pas la nature, elle ne se soucie que de la rendre et non de l'arranger. (Voir sur ces notions le *Salon de 1769*, 85 et 118.)

23. D'ailleurs, hors des *Salons*, Diderot admet que « cette dernière peinture, même réduite au vase et à la corbeille de fleurs, ne se pratiquerait pas sans toute la ressource de l'art et quelque étincelle de génie » (*EP*, 68).

24. Voir pour l'étude de l'image explosive — parce que « sacrée » — de Chardin dans les *Salons* l'article de René Démoris, « Diderot et Chardin : la voie du silence », *loc. cit.*, p. 48. Démoris conclut en associant le peintre à la figure du Père, très chargée psychanalytiquement. Cette image, par trop subversive, explique, d'une certaine façon, le silence de Diderot : il ne va pas au bout de ses assertions, le « discours s'arrête avant d'arriver à d'inexprimables conséquences ».

25. Le premier attribut de « tout ouvrage de génie » est d'être « seul » constate, par ailleurs, Diderot (*EP*, 79).

> Si les amateurs de Chardin se querellent à propos de cette manière [...], c'est bien pour signifier que leur reconnaissance n'est pas seulement celle d'une main. Qu'elle vaut plus cher. Et de buter sur cette personne qui est là et ne leur donne rien à dire. Pour sortir du malaise, il leur faudrait reconnaître que la main est la personne — déclaration lourde de conséquences peu acceptables dans une esthétique qui célèbre le triomphe de l'idée et des sentiments élevés[26]...

D'autre part, si Diderot considère Chardin comme « le premier coloriste du Salon, et peut-être un des premiers coloristes de la peinture » (*Salon de 1765*, 114), l'artiste, quant à lui, affirme qu'il ne peint pas uniquement avec des couleurs : « Ce Chardin avait bien raison de dire à un de ses confrères, peintre de routine : Est-ce qu'on peint avec des couleurs ? — Avec quoi donc ? — Avec quoi ? Avec le sentiment » (*Salon de 1769*, 84). Il va sans dire que la peinture s'offre au regard en tant que chose matérielle — une toile recouverte de couleurs selon un certain agencement représentant un certain sujet — et c'est bien à cela même que s'attachent pour l'essentiel les comptes rendus de Diderot en ce qui concerne les œuvres de Chardin : les objets et le « technique ». Mais derrière l'œuvre, il y a l'homme, le grand homme : « Chardin n'est pas un peintre d'histoire, mais c'est un grand homme[27] » (*Salon de 1769*, 82). Ainsi, contrairement à ce qui est établi dans le préambule du *Salon de 1767*[28], où l'artiste, à l'instar de l'acteur, du célèbre Garrick, ne doit rien laisser entrevoir de lui-même et n'être qu'un mannequin, un vide que remplit l'étude de ce qui est grand, noble, violent et élevé (*Salon de 1767*, 63-64), le peintre Chardin dévoile dans ses tableaux une grandeur toute personnelle[29]. Certes « un peintre se montre dans son ouvrage autant et plus qu'un littérateur dans le sien » (*EP*, 20), il y a cependant un écart considérable entre cette froideur, ce sang-froid de l'artiste idéal et la fougue du coloriste, de celui qui, en définitive, a l'« allure du génie » : « Celui qui a le sentiment vif de la couleur, a les yeux attachés sur sa toile ; sa bouche est entrouverte, il halète, sa palette est l'image du chaos. C'est dans ce chaos qu'il trempe son pinceau, et il en tire l'œuvre de la création » (*EP*, 19). Aussi, le critique constate que l'adresse, la virtuosité conjuguées à une tête vide et stérile ne donnent rien de bon : La Grenée,

26. René Démoris, *Chardin, la chair et l'objet*, Paris, Éditions Adam Biro, 1991, p. 132.
27. Et ailleurs : « On reconnaît le grand homme en tout temps » (*Salon de 1771*, 178).
28. Et qui sera repris plus tard dans le *Paradoxe sur le comédien*.
29. René Démoris, « Diderot et Chardin : la voie du silence », *loc. cit.*, p. 53.

à titre d'exemple, le froid La Grenée, qui ne pense ni ne sent[30] et qui, au départ, promettait tant, est houspillé dans les derniers *Salons*.

> En un mot, la peinture est-elle l'art de parler aux yeux seulement ? ou celui de s'adresser au cœur et à l'esprit, de charmer l'un, d'émouvoir l'autre, par l'entremise des yeux. O mon ami, la plate chose que des vers bien faits ! la plate chose que de la musique bien faite ! la plate chose qu'un morceau de peinture bien fait, bien peint. Concluez... concluez que La Grenée n'est pas le peintre, mais bien maître La Grenée. (*Salon de 1767*, 117)

La question, néanmoins, reste en suspens : quel est ce sentiment avec lequel peint Chardin ? Il ne faut pas confondre ce dernier avec les émotions ou les affects, provoqués chez le spectateur, qui sans doute relèvent de la qualité profondément humaine, intime et subjective de ses œuvres, comme les analyses très psychologiques de Proust en attestent. D'ailleurs de ce qui le touche, de ce qui l'atteint au plus sensible, Diderot n'hésite jamais à en faire part[31]. Il ne faut pas confondre davantage « sentiment » et « sensibilité », laquelle quand « elle est extrême ne discerne plus » (*EP*, 79)[32]. Ce sentiment avec lequel le peintre fait la peinture, ce sentiment qui distingue le grand du médiocre, appartient peut-être à l'indicible. Il est ce lieu où la peinture et le grand homme demeurent clos sur leur mystère. Et c'est précisément ce silence qu'annonce Pierre Rosenberg lorsqu'il déclare désespérée, car promise à l'échec, toute tentative d'analyser et de comprendre le génie de Chardin[33].

La peinture

En fait, seuls, peut-être, les peintres sont capables de bien parler d'eux-mêmes et maîtrisent véritablement la langue de la peinture : « Chardin et [Greuze] parlent fort bien de leur talent ; Chardin avec jugement et

30. « Ce La Grenée est un homme pauvre au milieu de sa richesse ; il peint bien, d'une manière franche et nette, il dessine sveltement ; sa touche est agréable, mais il ne pense ni ne sent ; il n'a point de style, il ne sait peut-être pas ce que c'est ; c'est un copiste de nature froid et monotone » (*Salon de 1769*, 80).

31. Pour illustrer ceci, voir le commentaire du *Paralytique* de Greuze, où Diderot écrit notamment : « Lorsque je vis ce vieillard éloquent et pathétique, je sentis [...] mon âme s'attendrir et des pleurs prêts à tomber de mes yeux » (*Salon de 1763*, 233-236).

32. Et ailleurs : « C'est qu'être sensible est une chose, et sentir est une autre. L'une est affaire d'âme, l'autre une affaire de jugement » (Denis Diderot, *Paradoxe sur le comédien* précédé des *Entretiens sur le Fils naturel*, Paris, Flammarion, 1981, p. 183).

33. Pierre Rosenberg, *op. cit.*, p. 98. D'ailleurs, l'auteur de l'article « Génie » de l'*Encyclopédie* déclare que le génie se connaît mieux que quiconque et que c'est « à lui-même à parler de lui » (*Encyclopédie ou Dictionnaire raisonné des sciences, des arts et des métiers (articles choisis)*, vol. II, Paris, Flammarion, 1986, p. 147).

de sang-froid, Greuze avec chaleur et enthousiasme. La Tour, en petit comité, est aussi fort bon à entendre » (*Salon de 1765*, 145). De plus, non seulement Chardin sait parler admirablement de son art[34], il sait aussi, comme ses fonctions de tapissier[35] lui en procurent l'occasion, faire parler la peinture, faire converser les œuvres entre elles.

> Ce tapissier Chardin est un espiègle de la première force, il est enchanté quand il a fait quelques bonnes malices ; il est vrai qu'elles tournent toutes au profit des artistes et du public ; du public qu'il met à portée de s'éclairer par des comparaisons rapprochées ; des artistes entre lesquels il établit une lutte tout à fait périlleuse. (*Salon de 1769*, 108)

Si Chardin se montre sans pitié pour ses confrères, n'hésitant pas à donner de bonnes mais terriblement cruelles leçons (*Salon de 1769*, 108), d'un autre côté, il réclame — chose curieuse — de l'indulgence des critiques.

> Rappelez-vous ce que Chardin nous disoit au Salon : « Messieurs, messieurs, de la douceur. Entre tous les tableaux qui sont ici, cherchez le plus mauvais ; et sachez que deux mille malheureux ont brisé entre leurs dents le pinceau, de désespoir de faire jamais aussi mal. » (*Salon de 1765*, 57)

Les peintres désirent donc régler leurs comptes entre eux, par le seul moyen de leurs pinceaux, par le seul moyen du regard. Il est donc un moment où l'écriture est malvenue, où l'écriture ne peut dire la peinture.

> On m'a dit que Greuze montant au Salon et apercevant le morceau de Chardin que je viens de décrire [c'est-à-dire *Le bocal d'olives*], le regarda et passa en poussant un profond soupir. Cet éloge est plus court et vaut mieux que le mien. (*Salon de 1763*, 223)

Bien entendu, pour Diderot, la peinture est tributaire de la littérature : il faut aux peintres « feuilleter les historiens, se remplir des poètes, s'arrêter sur leurs images » (*EP*, 43)[36]. L'homme de lettres fréquentant, par définition, étroitement les Anciens (*Salon de 1767*, 238), Diderot n'hésite pas à « relire à l'occasion d'un tableau » le passage dont il est tiré et

34. En plus d'un endroit Diderot remarque cette aisance verbale : « Chardin est homme d'esprit, et personne peut-être ne parle mieux que lui de la peinture » (*Salon de 1761*, 125) ; « Il faut que vous sachiez encore que cet artiste a le sens droit et parle à merveille de son art » (*Salon de 1763*, 223).

35. Le tapissier était chargé de la disposition des tableaux sur les murs du Salon.

36. Il existe pour Diderot une véritable interaction entre les arts, les littérateurs gagnent aussi à connaître les peintres : « On retrouve les poètes dans les peintres, et les peintres dans les poètes. La vue des tableaux des grands maîtres est aussi utile à un auteur, que la lecture des grands ouvrages à un artiste » (*PDP*, 1013).

n'hésite pas non plus à refaire le tableau par écrit s'il ne le satisfait pas[37]. La littérature offre donc un répertoire de beaux sujets, autorisant, de telle sorte, le critique à juger des œuvres : « Que l'artiste ironique hoche du nez quand je me mêlerai du technique de son métier, à la bonne heure ; mais s'il me contredit quand il s'agira de l'idéal de son art, il pourrait bien me donner ma revanche[38]. » C'est sans doute pourquoi les *Salons* sont si pleins de verve, si littéraires : Diderot est d'une certaine façon un peu chez lui. Ainsi, par le détour des tableaux, de la peinture, Diderot parle beaucoup de littérature, de son imaginaire et de ses idées, de lui-même en somme comme il le confesse à madame Necker :

> Quand je me rappelle la hardiesse que l'on a eue de vous communiquer ces *Salons*, je n'en reviens pas ; c'est comme si j'avais osé me présenter chez vous ou à l'église en robe de chambre et en bonnet de nuit. Mais c'est moi, trait pour trait : je n'ai fait que me copier, sans la moindre rature[39].

Cependant chez Chardin — le peintre de genre, le peintre de natures mortes —, il n'y a pas de littérature possible (Chardin manifeste même un implacable mépris pour les peintres littérateurs[40]) ; et pourtant, ses tableaux parlent : « Vous revoilà donc, grand magicien, avec vos compositions muettes ! qu'elles parlent éloquemment » (*Salon de 1765*, 111). Les tableaux de Chardin parlent, mais ils parlent essentiellement aux yeux ou plutôt « à l'ame par l'entremise des yeux » (*Salon de 1765*, 174), car leur langue est celle de la seule peinture, une langue cousue de silence. Aussi, devant les œuvres de Chardin, il n'est plus besoin d'écrire, d'expliquer, il n'y a qu'à se taire et regarder[41] : contempler.

> [...] l'œil est toujours recréé, parce qu'il y a calme et repos. On s'arrête devant un Chardin comme d'instinct, comme un voyageur fatigué de sa route va s'asseoir, sans presque s'en apercevoir, dans l'endroit qui lui offre un siège de verdure, du silence, des eaux, de l'ombre et du frais. (*Salon de 1767*, 128-129)

37. Comme c'est le cas avec le *Combat de Diomède et d'Enée* de Doyen (*Salon de 1761*, 131).
38. Diderot cité par Jean Seznec, « Introduction », *op. cit.*, p. 10.
39. Cité par Jean Seznec, « Introduction », *op. cit.*, p. 15.
40. « Le bon Chardin que vous connaissez me prend par la main, me mène devant ces tableaux [de Descamp] et me dit avec le nez et la lèvre que vous savez : Tenez, voilà de l'ouvrage de littérateur » (*Salon de 1767*, 313).
41. Diderot ne dit-il pas : « On parlera de La Tour, mais on verra Chardin » ? (*Salon de 1767*, 128)

Le secret

« [E]ntre la nature et l'art » (*Salon de 1769*, 83), Chardin occupe manifestement une place à part dans les *Salons* : entre-deux difficile à définir qui ressemble fort, pourtant, au sommet de l'admiration. Dès lors, au fil des ans, se dessine l'itinéraire d'une quête des mots pour dire Chardin, quête du secret du peintre.

Si Diderot a pu croire que tout le prestige de Chardin résidait dans une parfaite qualité de l'imitation, dans l'étonnante vérité — à tromper le spectateur — des natures mortes (« Commençons par dire le secret de celui-ci ; cette indiscrétion sera sans conséquence. Il place son tableau devant la Nature, et il le juge mauvais, tant qu'il n'en soutient pas la présence » [*Salon de 1767*, 127]), il n'a cependant pas ignoré toute la part qui revenait à l'habileté technique de Chardin, à son extraordinaire maîtrise de la science des couleurs et de l'harmonie. Toutefois, le philosophe a bien perçu que l'art n'est grand que s'il transcende sa matérialité même. Ainsi « [il] n'y a rien en [Chardin] qui sente la palette » (*Salon de 1769*, 83) parce qu'une même « magie » habite toutes ses œuvres ; une « magie », un « faire » très singulier qu'il n'est guère possible d'expliquer : « C'est une harmonie au delà de laquelle on ne songe pas à désirer ; elle serpente imperceptiblement dans sa composition, toute sous chaque partie de l'étendue de sa toile ; c'est, comme les théologiens disent de l'esprit, sensible dans le tout et secret en chaque point » (*Salon de 1769*, 83).

En fait, cette « magie » est l'apanage de l'homme, et « c'est lui », par delà le tableau, que désigne Diderot : « [c']est lui qui voit ondoyer la lumière et les reflets à la surface des corps ; c'est lui qui les saisit et qui rend avec je ne sais quoi leur inconcevable confusion » (*Salon de 1769*, 84). Mais de cet homme, de ce grand homme dont la figure — tantôt malicieux tapissier, tantôt « bon Chardin » — traverse tous les *Salons*[42], le critique ne peut parler, pas même nommer le génie sous peine de faire éclater l'institutionnelle hiérarchie des genres : l'individu reste donc secret au plus haut point.

Il n'en demeure pas moins que l'importance de Chardin, le peintre — sa parole aussi bien que ses œuvres —, est reconnue, comme l'attestent le préambule du *Salon de 1765* et le recours fréquent à sa peinture en tant que point de comparaison[43]. Chardin, en vérité, est peut-être le

42. Sauf évidemment celui de 1781, Chardin étant mort en 1779.

43. « Ce n'est pourtant ni la touche, ni la vigueur, ni la vérité, ni l'harmonie de Chardin ; c'est tout contre, c'est-à-dire à mille lieues et à mille ans. C'est cette petite distance imperceptible qu'on sent et qu'on ne franchit point. Travaillez, étudiez, soignez, effacez,

seul peintre des *Salons* qui appartienne tout entier à la peinture — « [c']est celui-ci qui est un peintre » (*Salon de 1763*, 222) — mais à une peinture qui ne se laisse guère saisir par les mots du critique. Et cette brèche creusée dans le discours témoigne d'une différence intrinsèque et fondamentale de cet art : en Chardin, se cristallise le secret d'une peinture étrangère à toute écriture, à toute littérature.

Seulement, bien que les tableaux de Chardin n'aient pas permis à Diderot de dire leur mystère, ils lui auront fait, en revanche, connaître le secret d'une plénitude contemplative[44], le secret d'une pure jouissance esthétique[45] : « Arrêtez-vous longtemps devant [...] un beau Chardin ; fixez-en bien dans votre imagination l'effet ; rapportez ensuite à ce modèle tout ce que vous verrez, et soyez sûr que vous aurez trouvé le secret d'être rarement satisfait » (*Salon de 1769*, 82).

recommencez, peines perdues. La nature a dit : Tu iras là, jusque-là, et pas plus loin que là. Il est plus aisé de passer du pont Notre-Dame à Roland de La Porte, que de Roland de La Porte à Chardin » (*Salon de 1765*, 141). Et encore : « [Greuze] dessine comme un ange. Sa couleur est belle et forte, quoique ce ne soit pas encore celle de Chardin pourtant » (*Salon de 1763*, 236).

44. Comme le constate également Frédéric Ogée : « *[these paintings] abstract themselves from all verbal support and invite to a visual experience of silence, or to a silent experience of vision. The only possible conclusion, therefore, is the momentary suspension of discourse, [...] in order to look silently, again and again, at Chardin's paintings and check that they keep vibrating, that, in spite of all that has been said (including here), there is still life in them — and in us* » « [ces peintures] se dérobent à tout support verbal et invitent à une expérience visuelle du silence ou à une expérience silencieuse de la vision. La seule réaction possible, donc, est de suspendre momentanément notre discours [...], pour regarder silencieusement, encore et encore, les peintures de Chardin et s'assurer qu'elles continuent à vibrer, que, en dépit de tout ce qui a été dit (y compris ici), il y a encore de la vie en elles — et en nous » (F. Ogée, « Chardin's Time : Reflections on the Tercentenary Exhibition and Twenty Years of Scholarship », *Eighteenth-Century Studies*, 33, 3, 2000, p. 447).

45. Pure jouissance esthétique à laquelle, le moraliste peut être tranquille, ne participe aucun vice ; chez Chardin, il n'y a pas « des pieds nuds, des cuisses, des tétons, des fesses » (*Salon de 1759*, 64), de « ces objets séduisants [qui] contrarient l'émotion de l'âme, par le trouble qu'ils jettent dans les sens » (*PDP*, 1020) ; la volupté se trouve ailleurs : dans le talent même de l'artiste !

Collaborateurs

Ce numéro a été préparé par Marc André Brouillette

Marc André BROUILLETTE

Il est chercheur postdoctoral au Centre de recherche interuniversitaire sur la littérature et la culture québécoises (CRILCQ/Université Laval). Ses travaux portent actuellement sur la mise en discours du paysage dans des œuvres de poésie et de prose québécoises. Il est l'auteur de plusieurs articles sur l'œuvre de Tortel ainsi que sur la poésie française et québécoise contemporaine. Il a dirigé l'an dernier un numéro de la revue *Voix et Images* consacré au poète Gilles Cyr. De plus, il a fait paraître plusieurs recueils de poésie et, depuis 2000, il est membre du comité de rédaction de la revue *Liberté*.

Nicolas CASTIN

Ancien élève de l'École Normale Supérieure, agrégé de lettres modernes, docteur ès lettres, Nicolas Castin poursuit une recherche sur les points de jonction de la philosophie et de la poésie, où la phénoménologie tient la première place. Après un premier livre, *Sens et sensible en poésie moderne et contemporaine* (PUF, 1996), il a fait paraître un recueil de réflexions sur *Merleau-Ponty et le littéraire* (PENS, 1997) et a poursuivi ce questionnement dans de nombreux articles, notamment dans la revue *Littérature* (décembre 2000) et dans un ouvrage paru en Allemagne, *Perspektiven französischersprachiger Gegenwartslyrik* (Peter Lang, 2003). Il est professeur de philosophie à l'Université de Fribourg-en-Brisgau.

Magali GASSE-HOULE

Elle a soutenu en août 2002 une thèse sur le *Journal* d'Eugène Delacroix, à l'Université Queen's de Kingston. Elle s'intéresse aux rapports entre peinture et écriture et plus particulièrement aux écrits de peintres.

Vincent Charles LAMBERT

Vincent Charles Lambert est auxiliaire de recherche pour le Centre Hector de Saint-Denys Garneau de l'Université Laval, où il poursuit un mémoire de maîtrise portant sur l'avènement d'une sensibilité au paysage dans la poésie québécoise. Il prépare un ouvrage collectif sur l'enseignement de la poésie et publiera bientôt *Une heure à soi*, une anthologie de la chronique au Canada français.

Suzanne NASH

Professeure au Département de français et d'italien à l'Université Princeton, Suzanne Nash a publié de nombreux ouvrages et articles sur la poésie et la prose des XIXe et XXe siècles. Elle a publié notamment Les Contemplations *de Victor Hugo : An Allegory of the Creative Process* (Princeton University Press, 1979), *Paul Valéry's* Album de vers anciens : *A Past Transfigured* (Princeton

University Press, 1983) et dirigé l'ouvrage collectif *Home and Its Dislocations in Nineteenth-Century France* (SUNY Press, 1993). Une entrevue avec Jean Tortel, réalisée en 1984 pour la revue *Po&sie*, fut la première de nombreuses publications qu'elle fit paraître sur son œuvre.

Karin SCHWERDTNER

Karin Schwerdtner a obtenu son doctorat en études françaises à l'Université de Toronto et est à présent postdoctorante au Département d'études littéraires de l'UQÀM. Ses intérêts de recherche sont la fiction contemporaine, la question de l'altérité, le concept de l'errance, le personnage féminin, et les théories littéraires relatives à l'espace, au temps, aux relations sociales, et à l'énonciation. Co-éditrice d'un dossier consacré à la mobilité au féminin dans *Études en littérature canadienne* (29 : 1, 2004) et d'un volume d'essais en préparation, émanant d'un colloque qu'elle a co-dirigé (avec l'appui du CRSH) sur les femmes en mouvement, elle est en outre auteure de plusieurs articles et chapitres de livres portant sur la course à l'aventure au féminin, la quête d'identité, la migration et la perte de patrie. Sa monographie intitulée *La femme errante* sera publiée chez Legas Press : elle propose une étude de diverses mises en discours contemporaines de la femme errante.

Ching SELAO

Doctorante et chargée de cours à l'Université de Montréal, Ching Selao rédige actuellement une thèse sur la littérature vietnamienne d'expression française. Elle a participé à de nombreux colloques et ses articles ont, entre autres, parus dans *Immigrant Narratives in Contemporary France* (Greenwood, 2001), *Présence francophone* et *Tessera*. Elle est également collaboratrice au magazine culturel *Spirale*.

Catherine SOULIER

Catherine Soulier est maître de conférences en littérature française à l'Université Montpellier III (France). Auteure d'une thèse consacrée aux « *"Jeunes poètes" des Cahiers du Sud* » (Arseguel, Guglielmi, Malrieu, Neveu, Todrani et Viton), elle a édité les actes du colloque « Jean Tortel, l'œuvre ou vert » qu'elle avait organisé en mars 2000 (éditions de l'Université Montpellier III, 2001) et a établi l'édition de conférences inédites de ce poète (*Parler de poésie*, à paraître en 2004 aux éditions André Dimanche). Son questionnement, d'abord appuyé sur l'étude des revues *Cahiers du Sud* et *Manteia*, se poursuit aujourd'hui à travers l'exploration d'œuvres singulières : celle de Jean Tortel, toujours, mais aussi celles de Christian Dotremont ou de Pascal Quignard.

Jean-Luc STEINMETZ

Poète, critique, essayiste et biographe, Jean-Luc Steinmetz est également professeur à l'Université de Nantes. Son œuvre critique se penche principalement sur les poètes français des XIXe et XXe siècles. Il a publié des ouvrages sur Rimbaud (*Arthur Rimbaud. Une question de présence*, Tallandier, 1999 ; *Les femmes de Rimbaud*, Zulma, 2000), Mallarmé (*Mallarmé. L'absolu au jour le jour*, Fayard, 1998), Jaccottet (*Philippe Jaccottet*, Seghers, 2003) ainsi que plusieurs recueils d'essais dont *La poésie et ses raisons* (José Corti, 1990). De plus, il a édité et commenté les œuvres de nombreux autres auteurs, parmi lesquels Bertrand, Borel, Gauthier, Lautréamont, Nodier et Wilde. Son œuvre (poèmes et proses) se compose d'une douzaine de titres dont les plus récents sont *N'essences* (Apogée, 2001) et *Jusqu'à* (Castor astral, 2003).

Résumés

Nicolas Castin
LIMITES DU JARDIN : UN PARCOURS DE LA POÉTIQUE DE JEAN TORTEL

Le jardin de Tortel concentre la plupart des lignes de force qui scandent son œuvre. On y affronte l'épaisseur têtue du monde sensible, et on y assiste au déploiement des pulsions qui lui répondent. L'expérience sensible se superpose d'ailleurs ici à un questionnement de la subjectivité, de ses figures aléatoires et intermittentes, de ses difficultés à trouver la distance juste pour établir une articulation valide entre le dehors, le moi et l'écriture. La poésie semble alors se définir comme une tentative de formulation, de « qualification » du lien perceptif, et comme la tentative, sans cesse menacée, de ressaisir une présence.

Most of Tortel's major themes can be found in his garden. One is faced with the stubborn thickness of the empirical world and the spreading of reactions to this world. The experience of the senses is combined with a questioning of subjectivity — subjectivity's occasional and fleeting representations, and its struggle to find the distance appropriate to establish a viable articulation between the outside world, the self and writing. Thus, poetry seems to become an attempt to express, to "qualify" the link to the senses, and like the ever-threatened attempt, to once again seize a lost presence.

Suzanne Nash
LA PRÉSENCE DE JEAN TORTEL

Bien que Jean Tortel ait toujours envisagé le langage poétique comme une façon de soustraire les choses du monde matériel au flux de la réalité phénoménale, la publication des *Villes ouvertes* (1965) marque un tournant décisif dans sa conception du langage envisagé comme instrument de ce transfert. Le recueil posthume intitulé *Limites du corps* (1993), composé d'un choix de poésies tirées de quatre de ses ouvrages de maturité — *Les villes ouvertes* (1965), *Relations* (1968), *Limites du regard* (1971) et *Instants qualifiés* (1973) —, saisit l'intensité de ce passage d'une langue renvoyant au monde de manière imagée à une attention dénuée de tout lyrisme, portée sur l'acte même de transcription. Cet article retrace l'art poétique plus tardif de Tortel et propose de lire *Passés recomposés*, publié en 1989, comme un recueil avec lequel Tortel aurait sciemment refermé la fenêtre des *Villes ouvertes*, détournant ainsi son regard du monde extérieur pour le diriger vers le lieu fugitif de la mémoire.

Although Jean Tortel always understood poetic language as a way of rescuing elements of the material world from the flux of phenomenal reality, the writing of Les villes ouvertes *(1965) represents a turning point in the way he conceived of language as the instrument for enacting that transfer. The posthumous collection,* Limites du corps *(1993), containing a selection of poems from four of his mature works —* Les villes ouvertes, Relations *(1968),* Limites du regard *(1971), and*

Instants qualifiés *(1973) — captures the drama of this change from language used in its referential relationship to the world of visual imagery to a resolutely de-lyricized focus on the act of inscription itself. This paper gives an account of Tortel's mature poetics and proposes a reading of* Passés recomposés, *written shortly before the poet's death and published in 1989, as a collection that self-consciously closes the frame opened by* Les villes ouvertes *by turning the poet's gaze away from the outside world to the fleeting place of memory.*

Marc André Brouillette
LA FORCE DU REGARD.
PRÉSENCES ANTINOMIQUES DANS *LE DISCOURS DES YEUX*

Dans son essai intitulé *Le discours des yeux* (1982), Tortel s'interroge sur les principales composantes de sa propre poétique. Sa réflexion s'inspire de ses préoccupations à l'égard de la perception sensorielle, de la réalité matérielle des objets et de la parole. La notion de regard y occupe une place prépondérante et est constituée, selon le poète, du désir et de limites, deux composantes entre lesquelles s'établit un rapport d'opposition. La nature de ce rapport s'avère emblématique de la manière dont Tortel formule sa relation au monde, relation largement influencée par les rapports binaires et le dualisme. La lecture proposée ici de cet essai souhaite montrer l'importance de ces principes à l'intérieur d'une œuvre ayant constamment accordé une grande attention à la dynamique relationnelle entre les êtres et les choses.

In his essay titled 'Le discours des yeux' *(Discourse of the Eyes), Tortel questions the main components of his own poetics. His musings arise from his preoccupation with sensory perception, the material reality of objects and speech. The gaze, one of his central concerns, is fleshed out, according to the poet, by desire and limits, two components that embody oppositional terms. The nature of this divide is emblematic of the way Tortel posits his own relation to the world, largely expressed through binary relationships and dualism. The reading of the essay developed in the following pages singles out the importance of these principles with respect to the works of Tortel, in which careful attention is constantly paid to the relational dynamics between beings and things.*

Catherine Soulier
« L'INTÉRIEUR EST LE LIEU ». POÉSIE / ENDOSCOPIE

La notion de corps joue un rôle essentiel dans la poésie et la poétique de Jean Tortel. Entendue dans un sens très large, elle y désigne tout objet perçu par un regard désirant. Mais si le poème tortélien privilégie le corps objet, le corps propre n'en est pas absent pour autant. Longtemps maintenu à sa propre surface par sa réduction à la main et surtout à l'œil — instrument majeur de cette poésie du regard —, le corps vécu se fait corps profond dans « Spirale interne » (*Des corps attaqués*, 1979) et « La boîte noire » (*Les solutions aléatoires*, 1983), où les yeux semblent se retourner sous le crâne pour permettre l'enfoncement du regard dans l'obscurité intérieure. C'est cette tentative d'endoscopie poétique que l'article se propose d'examiner. Il s'attache tout d'abord à l'élaboration d'hypothétiques images des profondeurs organiques, y lisant, selon que les poèmes prétendent plonger le regard dans la cavité abdominale forée par l'ulcère ou voir derrière les yeux le cerveau logé dans la boîte crânienne, l'effort pour figurer l'infigurable de la sensation ou la volonté de s'incorporer des images construites à partir de souvenirs de descriptions scientifiques et de planches d'anatomie. Déployant les implications de l'entreprise endoscopique, il aborde ensuite la question de l'identité qui, sous-jacente à la traversée organique dans « Spirale interne », se pose explicitement dans « La boîte noire » où les visions fragmentaires du cerveau viennent fissurer le moi et le confronter à sa précarité, conduisant ainsi le corps à « se désigner lui-même en tant qu'objet non immobile non éternel ».

The notion of the body plays an essential role in the poetry and in the poetics of Jean Tortel. In the broadest sense, it designates all objects perceived by a desiring gaze. But while the Tortellien poem highlights the body-object, the actual body is not absent. Long restricted to its own surface by its reduction to the hand and especially to the eye — the essential tool of this poetry of the gaze —, the lived body becomes the profound body in 'Spirale interne' *(*Des corps attaqués, *1979) and in* 'La boîte noire' *(*Les solution aléatoires, *1983), in which the eyes seem to turn inwards into the skull, to allow the gaze to penetrate this internal obscurity. It is this tendency towards poetic endoscopy that the article proposes to examine. It first undertakes the elaboration of hypothetical images of the organic depths, there reading — as the poems claim to peer into the ulcer-gouged abdominal cavity, or to see behind the eyes the brain lodged in its cranial box — the effort to represent the unrepresentable of the sensation or the desire to incorporate oneself, images constructed from memories of scientific descriptions or of anatomical drawings. Developing the implications of the endoscopic enterprise, he next tackles the question of identity, which underlies the organic journey in* 'Spirale interne,' *and is explicitly dealt with in* 'La boîte noire,' *where the fragmentary visions of the brain split the self and confront it to its own precariousness, thus leading the body to 'designate itself as a non-immobile non-eternal object.'*

Jean-Luc Steinmetz
D'UNE AUDACE À DEMEURE

L'auteur prélève d'abord dans différents livres de Jean Tortel certaines strophes qu'il commente, en tant qu'éléments critiques permettant de mieux lire le fonctionnement de l'œuvre. Il en déduit une manière de phénoménologie du regard écrivant. Puis il s'applique à considérer les rapports entre la pensée de Mallarmé et l'intention de Jean Tortel, en insistant sur la *Prose (pour des Esseintes)*. Il conclut en montrant les limites du poème découvrant par les mots eux-mêmes ce qu'il lui faudrait dépasser.

The author begins by taking verses from various books by Jean Tortel and then comments on them in order to establish them as critical elements allowing the reader to better grasp the functioning of the œuvre. From this, he develops a manner of phenomenology of the writing gaze. Next, he considers the links between the reflections of Mallarmé and the intentions of Jean Tortel, with special emphasis placed on Prose (pour des Esseintes). *He concludes by showing the limits of the poem, discovering through its very words what must be surpassed.*

Exercices de lecture

Karin Schwerdtner
ERRANCES INTERDITES : LA CRIMINALITÉ AU FÉMININ DANS *L'ASTRAGALE* D'ALBERTINE SARRAZIN

Selon les traditions sociales et religieuses de l'Europe, l'errance féminine sur des lieux publics est conçue comme étant très contraire au génie de la femme, qui est de son élément naturel casanière et conservatrice. Face à la conception historique de la mobilité féminine, en littérature comme en société, nous nous proposons ici de saisir l'impact que la femme errante du genre « truande » peut avoir dans le roman français contemporain. Nous étudierons la construction et la signification de l'errance dans *L'astragale* d'Albertine Sarrazin, en faisant appel aux considérations de l'espace, du déplacement, des relations sociales et de la causalité, et puis aux théories de l'énonciation.

Social and religious traditions in Europe view female vagrancy or wandering in public as entirely contrary to the essence of woman who is by nature a homebody and conservative. With reference to historical conventions regarding feminine mobility, in literature as in society, this paper addresses the impact that the wandering female criminal can have in the contemporary French novel. It examines the construction and meaning of wandering in Albertine Sarrazin's L'astragale, *focusing on the role or significance of representations of space, movement, social relations and causality and then on theories of enunciation.*

Ching Selao
(IM)POSSIBLE AUTOBIOGRAPHIE.
VERS UNE LECTURE DERRIDIENNE DE *L'AMOUR, LA FANTASIA* D'ASSIA DJEBAR

Assia Djebar, qui est l'une des écrivaines les plus connues de la littérature maghrébine actuelle, a exploré de façon exemplaire les difficultés pour une femme algérienne musulmane et, qui plus est, issue de la colonisation française de s'abandonner à l'écriture de soi. Bien que *L'amour, la fantasia* soit son premier livre dit autobiographique, la lecture ici proposée tente de montrer qu'à l'instar de l'essai autobiographique de Jacques Derrida, *Le monolinguisme de l'autre*, ce « roman » expose davantage une réflexion sur l'impossible autobiographie qu'il n'expose la vie de son auteure. Cet article se penchera sur les différents procédés utilisés par Djebar dans ce récit au croisement de la « vérité » et de la fiction : l'inclusion du discours historique, l'intégration des récits oraux, la mise en scène d'un « Je » pluriel ; autant de procédés impersonnels qui transgressent l'autobiographie au sens restreint de sa définition. En outre, si écrire c'est déjà sortir de soi — « Je est un autre » selon la maxime rimbaldienne —, s'écrire en langue française, pour Djebar, c'est aussi prendre conscience que l'écriture autobiographique ne peut finalement qu'être une mise à nu voilée.

Assia Djebar, one of the best-known and prolific female Magrebi writers of the moment, has explored, in an exemplary fashion, the difficulties for a Muslim

Algerian woman to write about herself using the language of the former French colonizer. Although, L'amour, la fantasia *is said to be her first autobiographical book, the following article proposes to read this "novel" as a literary work which, like Jacques Derrida's autobiographical essay* Le monolinguisme de l'autre, *offers a reflection on the impossibility of writing an autobiography rather than exposing the life of its author. I shall examine how Djebar seeks to transgress the classical definition of an autobiography by intertwining "truth" and fiction (incorporating, in her narrative, the historical accounts of French soldiers and the oral testimonials of Algerian women), as well as using the first person singular as plural and collective. Furthermore, if writing is always a way of experimenting oneself as another —* "Je est un autre" *once wrote Rimbaud — for Djebar, writing an autobiography in the language of the Other also means that exposing herself can only occur through a sort of veiling.*

Magali Gasse-Houle

LES NATURES MORTES DE CHARDIN : L'ÉCHEC DE L'ÉCRITURE DANS LES *SALONS* DE DIDEROT

Dans les *Salons* de Diderot, il y a quelques tableaux où se bute l'écriture, où la parole est mise en échec. Il y a un peintre, un peintre très admiré, devant les œuvres duquel la verve de Diderot se tarit. Et ce peintre est Chardin. Certes on peut affirmer que Diderot a développé tout un savoir pictural grâce à Chardin, le tapissier, savoir qui aura enrichi les *Salons*. Mais qu'a dit, en vérité, Diderot sur les natures mortes de Chardin, presque rien. En fait, ses commentaires, partant de la simple énumération des choses représentées sur la toile, puis de l'étude de la singulière manière du peintre, de son « faire », se révèlent impuissants à expliquer la véritable beauté des œuvres. C'est donc ce mouvement de l'écriture vers un inévitable silence de la peinture qu'il s'agissait de tracer, mouvement qui passe des objets au « technique », et qui se perd, enfin, dans l'homme, l'homme Chardin…

In Diderot's Salons, *there are a few paintings which cannot be described. There is a painter, a very admired painter, whose work does not solicit Diderot's eloquent expression. And this painter is Chardin. Indeed, thanks to Chardin — the "tapissier" —, Diderot has acquired a vast pictorial knowledge, knowledge that would have enriched the* Salons. *But what Diderot has written on Chardin's still lifes amounts to almost nothing. In fact, his comments, from the simple enumeration of represented things on the canvas to the study of the singular style of the painter, are incapable of explaining the true beauty of Chardin's work. It is this movement of writing towards an inevitable silence of painting that is in question, movement from objects to technique and ending in the search of the man, Chardin.*

GLOBE

REVUE INTERNATIONALE D'ÉTUDES QUÉBÉCOISES

Université du Québec à Montréal
Département d'études littéraires
Case postale 8888, Succursale Centre-ville
Montréal (Québec) Canada H3C 3P8
télécopieur : +1 (514) 987-8218
courriel : revueglobe@uqam.ca

PRÉSENTE DANS PLUS DE 40 PAYS

Volume 7 **2004** **Numéro 1**

RÉSEAUX ET IDENTITÉS SOCIALES

AGMV Marquis
MEMBRE DE SCABRINI MEDIA
Québec, Canada
2004